El juego de la vida

y

cómo jugarlo

El juego de la vida

y

cómo jugarlo

Florence Scovel Shinn

Publicado por primera vez en 1925 por Florence Scovel Shinn.
Edición reimpresa por Sound Wisdom, 2019

Diseño de portada y diseño de página interior, copyright 2019.

Todos los derechos reservados.

ISBN 13 TP: 978-1-64095-513-4

ISBN 13 eBook: 978-1-64095-514-1

1 2 3 4 5 6 7 8 / 27 26 25 24 23

Contenido

CAPÍTULO UNO

El juego

La mayoría de la gente considera la vida como una batalla, pero no es una batalla; es un juego. Es un juego, sin embargo, que no puede ser jugado con éxito sin el conocimiento de la ley espiritual, y el Antiguo y el Nuevo Testamento aportan las reglas para ello con maravillosa claridad.Jesucristo enseñó que era un gran juego de dar y recibir. "Todo lo que el hombre siembra, eso también cosechará". Esto significa que todo lo que el hombre aporta, de palabra o de obra, volverá a él; lo que da, lo recibirá de vuelta. Si da odio, recibirá odio; si da amor, recibirá amor; si da crítica, recibirá crítica; si miente, le mentirán; si engaña, será engañado.

También se nos ha enseñado que la facultad de imaginar juega un papel principal en el juego de la vida. "Guarda tu corazón con toda diligencia, porque de él mana la vida". Proverbios 4:23. Esto significa que, tarde o temprano, el hombre exterioriza aquello que imagina. Sé de un hombre que temía una determinada enfermedad. Era una enfermedad muy rara y difícil de contraer, pero se la imaginaba continuamente y leía sobre ella todo el tiempo, hasta que se manifestó en su cuerpo y murió, víctima de su distorsionada imaginación.

Entonces nos queda claro que, para jugar con éxito el juego de la vida, debemos entrenar la facultad de imaginar. Una persona cuya facultad ha sido entrenada para imaginar sólo el bien, trae a su vida todos los deseos justos de su corazón: salud, riqueza, amor, amigos, expresión perfecta de sí mismo, sus más altos ideales. La imaginación ha sido llamada "la tijera de la mente", pues siempre está cortando y cortando, día tras día, las imágenes que el hombre ve allí, y tarde o temprano externa sus propias creaciones al mundo exterior. Para entrenar la imaginación con éxito, el hombre debe comprender el funcionamiento de su mente. Los griegos decían: "Conócete a ti mismo".

La mente está subdividida en tres departamentos: el subconsciente, el consciente y el superconsciente. El subconsciente es simplemente poder sin dirección. Es como el vapor o la electricidad que obedece y hace lo que se le indica que haga; no tiene poder de inducción.

Todo lo que el hombre siente profundamente o imagina con claridad se imprime en la mente subconsciente, y se cumple hasta el más mínimo detalle.

Por ejemplo, conozco a una mujer que de niña les hacía creer a todos que era viuda. Se vestía con ropas negras y llevaba un largo velo negro, y la gente pensaba que era muy curiosa y divertida. Creció y se casó con un hombre del que estaba profundamente enamorada, pero al poco tiempo él murió y ella volvió a aquella fantasía infantil de usar el negro y un amplio velo durante muchos años. La imagen de sí misma como viuda se imprimió en la mente subconsciente, y a su debido tiempo se resolvió por sí misma, a pesar del dolor y los estragos que eso conllevaba.

La mente consciente ha sido llamada mente mortal o carnal. Esta es la mente humana que ve la vida tal y como parece ser. Ve la muerte, el desastre, la enfermedad, la pobreza y las limitaciones de todo tipo, e impresiona al subconsciente.

La mente superconsciente es la mente de Dios dentro de cada hombre, y es el reino de las ideas perfectas. En ella se encuentra el "patrón perfecto" del que habla Platón, el diseño divino; pues hay un diseño divino para cada persona. Hay un lugar que debemos llenar y que nadie más puede llenar, y algo que debemos hacer, que nadie más puede hacer. Hay una imagen perfecta de esto en la mente superconsciente, y suele pasar por el consciente como un ideal inalcanzable: algo demasiado bueno para ser cierto. Es, en realidad, el verdadero destino del hombre, el que se le muestra desde la inteligencia infinita que está dentro de él. Sin embargo, muchas personas ignoran su verdadero destino y se esfuerzan por conseguir cosas y situaciones que no les pertenecen y que, de conseguirlas, sólo les traerían fracaso e insatisfacción.

Por ejemplo, una mujer vino a verme y me pidió que le profetizara que se casaría con cierto hombre del que estaba muy enamorada. Ella ser refería a él como A. B.. Yo le contesté que eso sería una violación de la ley espiritual, pero que profetizaría para que apareciera el hombre correcto, la selección divina, el hombre que le pertenecía a ella por derecho divino.

—Si A. B. es el hombre adecuado, no lo perderás; y si no lo es, recibirás su equivalente —agregué.

Ella veía a A. B. con frecuencia, pero no avanzaba más allá de la amistad que le profesaba. Una noche me llamó.

—¿Sabes? desde hace una semana A. B. no me parece tan maravilloso — me confesó.

—Tal vez él no sea la selección divina, puede que sea otro hombre el adecuado— le comenté.

Poco después conoció a otro hombre que se enamoró de ella al instante, y que dijo que era su ideal. De hecho, le dijo todas las cosas que ella siempre había deseado que A. B. le dijera.

—Fue bastante extraño— declaró tiempo después.

Ella correspondió a su amor, y perdió todo interés en A. B.

Esto demuestra la ley de la sustitución: una idea correcta que es sustituida por una incorrecta, por lo que no hubo pérdida ni sacrificio alguno. Jesucristo dijo: "Buscad primero el Reino de Dios y su justicia, y todas estas cosas os serán añadidas", y dijo que dicho reino estaba dentro del hombre mismo, el reino de las ideas correctas, o el patrón divino. Jesucristo enseñó que las palabras del hombre juegan un papel principal en el juego de la vida. "Por vuestras palabras sois justificados y por vuestras palabras sois condenados".

Muchas personas han atraído la tragedia a sus vidas por usar palabras inútiles. Una mujer me preguntó una vez por qué su vida estaba sumida en la pobreza y llena de limitaciones. Antes tenía una casa, estaba rodeada de cosas hermosas y tenía mucho dinero. Juntos descubrimos que, a menudo, se había cansado del quehacer de su casa, y había dicho y pensado repetidamente: "Estoy harta de todas estas cosas; ojalá viviera en un baúl".

—Hoy estoy viviendo en ese baúl— me confesó.

Se había metido a sí misma en un baúl. La mente subconsciente no tiene sentido del humor, y la gente suele bromear con sus experiencias infelices.

Otro ejemplo me lo dio esta mujer que tenía mucho dinero, pero constantemente bromeaba diciendo que estaba preparándose para sus épocas de pobreza. A los pocos años se encontraba casi en la miseria, pues había logrado impresionar a la mente subconsciente con las imágenes de carencia y limitación que le alimentaba.

Afortunadamente, la ley funciona en ambos sentidos, y una situación de carencia puede cambiarse por una de abundancia. Cierta mujer acudió a mí un caluroso día de verano para que le proporcionara una bendición de prosperidad. Estaba agotada, abatida y desanimada. Dijo que lo único que tenía en el mundo eran ocho dólares.

—Bien, bendeciremos los ocho dólares y los multiplicaremos como Jesucristo multiplicó los panes y los peces— le dije — , pues Él enseñó que todo hombre tenía el poder de bendecir y multiplicar, de sanar y prosperar.

—¿Qué debo hacer ahora?— fue su siguiente pregunta.

—Sigue tu intuición. ¿Tienes una 'corazonada'? ¿Se te antoja hacer algo específico o ir a algún sitio en particular?

Intuición significa ver hacia adentro, o ser enseñado desde dentro. Es la guía infalible del hombre, y trataré más ampliamente sus leyes en un capítulo siguiente.

—No lo sé— replicó—. Parece que tengo la 'corazonada' de ir a casa; tengo el dinero justo para hacer el viaje en coche.

Su hogar estaba en una ciudad lejana, y en él había carencias y limitaciones. La mente razonadora (o el intelecto) le habría sugerido que se quedara en Nueva York, consiguiera trabajo y ganara algo de dinero.

—Entonces, vuelve a casa— sugerí—. Nunca desestimes una corazonada. El espíritu infinito abre el camino de la gran abundancia, es como un imán irresistible para todo lo que le pertenece por derecho divino.

Le aconsejé que repitiera frecuentemente ese pensamiento, y se fue a casa más tranquila.

Un día, cuando llamó a una conocida, se reconectó con una vieja amiga de su familia y, a través de esta amistad recibió miles de dólares de la manera más milagrosa.

—Cuéntale a la gente sobre la mujer que vino a ti con ocho dólares y una corazonada— me repite ahora cuando la veo.

Siempre hay abundancia en el camino del hombre, pero solo puede manifestarse a través del deseo, la fe o la palabra hablada.

Jesucristo puso de manifiesto que el hombre debe dar el primer paso. "Pedid y se os dará, buscad y hallaréis, llamad a la puerta y se os abrirá. (Mateo 7:7.). En las escrituras leemos: "En cuanto a las obras de mis manos, ordenadme". La inteligencia infinita, Dios, está siempre dispuesto a realizar las más pequeñas o grandes exigencias del hombre. Todo deseo, expresado o no, es una demanda. A menudo nos sobresaltamos al ver que un deseo se cumple de repente.

Por ejemplo, recuerdo que durante una pascua en particular vi muchos rosales hermosos en los escaparates de las floristerías y deseé recibir uno, y por un instante vi en el ojo de mi mente cómo lo entregaban en mi puerta. Llegó la Pascua y con ella un hermoso rosal. Al día siguiente le di las gracias a mi amiga y le dije que era justo lo que quería, sin embargo, ella me confesó que no había enviado rosas, sino lirios. El encargado se había confundido con el pedido y me envió un rosal simplemente porque yo había puesto en marcha la ley, y yo debía tener mi rosal.

Lo único que se interpone entre el hombre y sus más altos ideales y todos los deseos de su corazón, son la duda y el miedo. Cuando el hombre pueda desear sin preocuparse, todo deseo se cumplirá instantáneamente. En un capítulo siguiente explicaré más detalladamente la razón científica de esto y cómo el miedo debe borrarse de la conciencia. Estos son los únicos enemigos del hombre: el miedo a la carencia, el miedo al fracaso, el miedo a la enfermedad, el miedo a la pérdida y el sentimiento de inseguridad en algún plano.

Jesucristo dijo: "¿Por qué tenéis miedo, oh vosotros de poca fe?". Podemos ver que debemos sustituir el miedo por la fe, porque el miedo es sólo una fe invertida; es la fe en el mal en lugar del bien. El objetivo del juego de la vida es ver claramente el propio bien y borrar todas las imágenes mentales del mal. Esto debe hacerse impresionando a la mente subconsciente con la realización del bien.

Un hombre muy brillante, que ha alcanzado un gran éxito, me dijo que de repente había borrado todo el miedo de su conciencia leyendo un cartel que colgaba en una habitación. Vio, impresa en grandes letras, esta afirmación: "¿Por qué preocuparse? probablemente nunca sucederá".

Estas palabras se grabaron de forma indeleble en su subconsciente, y ahora tiene la firme convicción de que sólo el bien puede llegar a su vida, por lo tanto, sólo el bien puede manifestarse.

En el siguiente capítulo hablaremos de los diferentes métodos de impresión de la mente subconsciente. Es un fiel servidor del hombre, pero hay que tener cuidado de darle las órdenes correctas. El hombre tiene siempre un oyente silencioso a su lado: su mente subconsciente. Cada pensamiento, cada palabra se imprime en él y lo reproduce con un detalle asombroso. Es como un cantante que graba en el disco sensible de la placa fonográfica.

Cada nota y tono de la voz del cantante se registra; si tose o vacila, también se registra. Así que rompamos todos los viejos y malos registros en la mente subconsciente, los registros de las vidas que no deseamos conservar, y hagamos unos nuevos y hermosos.

Digan estas palabras en voz alta, con poder y convicción: "ahora aplasto y demuelo (con mi palabra) todo registro falso en mi mente subconsciente. Volverán al montón de polvo de la nada de donde vinieron, porque salieron de mis propias imaginaciones vanas. Ahora hago mis registros perfectos a través del Cristo interior-Los registros de la salud, la riqueza, el amor y la perfecta auto-expresión".

Este es el arquetipo de la vida, El juego completo. En los siguientes capítulos, mostraré cómo el hombre puede cambiar sus condiciones cambiando sus palabras. Cualquier hombre que no conozca el poder de la palabra está desfasado, se ha quedado atrás en el tiempo. "La muerte y la vida están en poder de la lengua". Proverbios 18:21.

CAPÍTULO DOS

Ley de la prosperidad

Sí, el Todopoderoso será tu defensa y tendrás plata en abundancia". Uno de los mayores mensajes dados a la humanidad a través de las escrituras es que Dios habla sobre el suministro del hombre, y que el hombre puede liberar, a través de su palabra hablada, todo lo que le pertenece por derecho divino. Sin embargo, debe tener absoluta y total fe en su palabra hablada.

Isaías dijo: "Mi palabra no volverá a mí vacía, sino que cumplirá aquello a lo que es enviada". Ahora sabemos que las palabras y los pensamientos son una tremenda fuerza vibratoria que siempre moldea el cuerpo y los asuntos del hombre. Hace tiempo una mujer me visitó con gran aflicción y dijo que iba a ser demandada el día 15 del siguiente mes por tres mil dólares, no sabía cómo conseguir el dinero y estaba desesperada. Le dije que Dios era su suministro, y que hay un suministro para cada demanda. Así que prediqué, di las gracias porque la mujer recibiría tres mil dólares en el momento adecuado y de la manera correcta. Le dije que ella debía tener una fe perfecta y absoluta, y actuar su fe perfecta.

Llegó el día 15, pero el dinero no se había materializado. Me llamó por teléfono y me preguntó qué debía hacer y le contesté que era sábado, y que ese día no recibiría la demanda. Le sugerí que actuara con riqueza, mostrando así una fe perfecta en que lo recibiría el lunes. Ella me pidió que almorzáramos juntos para armarse de valor, y cuando me reuní con ella en el restaurante le dije que no era momento de economizar, que pidiera un almuerzo caro y actuara como si ya hubiera recibido los tres mil dólares.

— Todo lo que pidáis en oración, creyendo, lo recibiréis —, le dije, y reforcé que debía actuar como si ya lo hubiera recibido.

A la mañana siguiente me llamó por teléfono y me pidió que me quedara con ella durante el día, pero la animé recordándole que estaba divinamente protegida y que Dios nunca llega demasiado tarde.

Por la noche volvió a llamar por teléfono, muy emocionada, y dijo:

—Mi estimada, ¡ha ocurrido un milagro! Estaba sentada en mi habitación esta mañana cuando sonó el timbre de la puerta. Le dije a la criada que no dejara entrar a nadie, pero ella miró por la ventana y me dijo que era mi primo, el de la "larga barba blanca". Le pedí que lo llamara y, a pesar de que ya casi estaba doblando la esquina, cuando oyó la voz de la criada, volvió. Hablamos durante una hora y, justo cuando se iba, me preguntó cómo estaban mis finanzas.Le dije que necesitaba el dinero, y él dijo que me daría tres mil dólares el primero de mes. No quise decirle que me iban a demandar. ¿Qué voy a hacer ahora?

No lo recibiré hasta primeros de mes, y debería tenerlo mañana.

—Seguiré en el caso— le dije. El espíritu nunca llega demasiado tarde. Doy gracias por recibido el dinero en el plano invisible y doy gracias porque se manifestará a tiempo.

Su primo la llamó a la mañana siguiente y le dijo que fuera a su oficina porque tenía el dinero listo para ella. Esa tarde tenía los tres mil dólares en su haber ,en el banco, y se dio a la tarea de emitir cheques tan rápidamente como su excitación se lo permitía.

Si uno pide el éxito y se prepara para el fracaso, obtendrá la situación para la que se ha preparado. Por ejemplo, un hombre acudió a mí pidiéndome que le profetizara que una determinada deuda sería anulada. Me di cuenta de que pasó su tiempo planeando lo que le diría al hombre cuando no pagara su cuenta, neutralizando así mis palabras, cuando en realidad debería haberse visto a sí mismo pagando la deuda. Tenemos una maravillosa ilustración de esto en la Biblia, relacionada con los tres reyes que estaban en el desierto sin agua para sus hombres y caballos. Consultaron al profeta Eliseo, quien les dio este sorprendente mensaje. "Así dice el Señor: no veréis viento, ni veréis lluvia, pero haced que este valle se llene de acequias".

El hombre debe prepararse para lo que ha pedido, aun cuando no hay la menor señal de ello a la vista. Por ejemplo, se de esta mujer que se vio en la necesidad de buscar un apartamento durante el año en que había una gran escasez de ellos en Nueva York. Se consideraba casi un imposible.

—Qué pena, tendrás que guardar tus muebles y vivir en un hotel— se lamentaban sus amigos.

—No tienen que sentir pena por mí. Soy una súper mujer y conseguiré un apartamento— afirmó—. Espíritu Infinito, abre el camino para el apartamento adecuado— concluyó.

Ella sabía que hay una oferta para cada demanda, estaba trabajando en el plano espiritual incondicionalmente, y reconocía que "uno con Dios es mayoría". Había contemplado la posibilidad de comprar sobrecamas nuevas cuando el tentador, el pensamiento adverso o la mente razonadora, le sugirió que no lo hiciera, pues si no podía no conseguir el apartamento se quedaría con ellas.

"¡Mediré mi fe y surcaré mis propias acequias comprando las sobrecamas!", pensó, y se preparó para el apartamento: actuó como si ya lo tuviera. Encontró uno de forma milagrosa, y se lo dieron a pesar de que había más de doscientos solicitantes más. Las sobrecamas mostraron una fe activa. No hace falta decir que las zanjas cavadas por los tres reyes en el desierto se llenaron a rebosar. (Leer, II Reyes.) Para la persona común, no es sencillo entrar en el ritmo espiritual. Los pensamientos adversos de la duda y el miedo surgen del subconsciente, son un ejército de extraterrestres al que debemos vencer. Esto explica por qué el período más oscuro de la noche siempre ocurre antes del amanecer.

Una gran demostración suele ir precedida de pensamientos atormentadores. Al hacer una declaración de alta verdad espiritual uno desafía las viejas creencias del subconsciente y se expone el error, para anularlo. Este es el momento en que uno debe hacer sus afirmaciones de la verdad repetidamente, y regocijarse y dar las gracias por haber recibido. "Antes de que llaméis os responderé". Esto significa que todo don bueno y perfecto ya es del hombre que está esperando su reconocimiento. El hombre sólo puede recibir lo que se ve a sí mismo recibiendo.

A los hijos de Israel se les dijo que podrían tener toda la tierra que alcanzaran a ver. Esto es cierto para todo hombre, sólo logran tener la tierra que vean dentro de su propia mente. Cada gran obra, cada gran logro, se ha manifestado a través de mantener la visión y, a menudo, justo antes del gran logro, viene el aparente fracaso y el desánimo. Los hijos de Israel, cuando llegaron a la tierra prometida, tuvieron miedo de entrar porque decían que estaba llena de gigantes que los hacían sentir como saltamontes. "Y allí vimos a los gigantes, y nos sentimos, a nuestro parecer, como saltamontes". Esta es la experiencia de casi todos los hombres. Sin embargo, el que conoce la ley espiritual no se deja perturbar por la apariencia, y se regocija mientras todavía está en cautiverio. Es decir, se aferra a su visión y da gracias porque el fin se ha cumplido; ha sido recibido.

Jesucristo dio un maravilloso ejemplo de esto. Dijo a sus discípulos: "¿No decís que aún faltan cuatro meses para que llegue la cosecha? He aquí que os digo que levantéis los ojos y miréis los campos, porque ya están maduros para la siega". Su clara visión traspasó el mundo de la materia y vio claramente el mundo de la cuarta dimensión, las cosas como son realmente, perfectas y completas en la mente divina.

Así que el hombre debe mantener siempre la visión del final de su viaje y exigir la manifestación de lo que ya ha recibido. Puede ser su salud perfecta, el amor, el suministro, la expresión personal, el hogar o los amigos. Todas son ideas acabadas y perfectas registradas en la mente divina, la propia mente superconsciente del hombre, y deben venir a través de él, y no a él.

Un hombre me solicitó que le ayudara a tener éxito. Necesitaba reunir cincuenta mil dólares para su negocio en un plazo determinado, y ese plazo estaba a punto de cumplirse cuando acudió, desesperado, a verme.Nadie quería invertir en su empresa, y el banco le había negado rotundamente un préstamo.

—Supongo que perdiste tu temple mientras estabas en el banco y, por lo tanto, tu poder. Puedes controlar cualquier situación si primero te controlas a ti mismo. Vuelve al banco, identifícate en el amor con el espíritu de todos los relacionados con el banco, y deja que la idea divina salga de esta situación— le ordené.

—Mujer, eso es simplemente imposible. Mañana es sábado, el banco cierra a las doce y el tren no sale sino hasta las diez. El plazo se acaba mañana, y de todos modos no lo harán. Es demasiado tarde.

—Dios no necesita tiempo y nunca es demasiado tarde. Con Él todo es posible— refuté—. No sé nada de negocios, pero lo sé todo acerca de Dios.

—Todo suena maravilloso cuando me siento aquí a escucharte, pero cuando salgo y me enfrento al mundo exterior, es terrible.

Vivía en una ciudad lejana y no tuve noticias suyas durante una semana, hasta que recibí una carta donde me decía que yo había tenido razón. Que había conseguido el dinero y que nunca más dudaría de la verdad de la que yo le había hablado.

—¿Qué ha pasado?— le pregunté cuando

lo ví varias semanas después—. Evidentemente hasta te sobró tiempo.

—Mi tren se retrasó y llegué a las doce menos quince. Entré en el banco tranquilamente y dije: 'He venido por el préstamo', y me lo dieron sin discutir.

Eran los últimos quince minutos del tiempo que se le había asignado, y el Espíritu Infinito no llegó demasiado tarde. En este caso, el hombre no podría haberse manifestado solo, necesitaba que alguien le ayudara a mantener la visión. Esto es lo que un hombre puede hacer por otro hombre.

Jesucristo conocía la verdad de esto cuando dijo: "Si dos de vosotros se ponen de acuerdo en la tierra sobre cualquier cosa que pidan, les será hecho por mi Padre que está en el cielo". Uno se acerca demasiado a sus propios asuntos y se vuelve dudoso y temeroso. El amigo, o "sanador", ve claramente el éxito, la salud o la prosperidad, y nunca vacila, porque no está cerca de la situación. Es mucho más fácil proyectar para otra persona que para uno mismo, por lo que una persona no debe dudar en pedir ayuda si se siente vacilar. Un agudo observador de la vida dijo una vez que ningún hombre podía fracasar si otro lo veía triunfar. Tal es el poder de la visión. Muchos grandes hombres han debido su éxito a una esposa, o a una hermana, o a un amigo que creyeron ciegamente en ellos, logrando que se mantuvieran, sin vacilar, en el modelo perfecto.

CAPÍTULO TRES

El poder de la palabra

"Por tus palabras serás justificado y por tus palabras serás condenado". Una persona que conoce el poder de la palabra se vuelve muy cuidadosa de su conversación. Sólo tiene que observar la reacción de sus palabras para saber que no vuelven vacías. A través de su palabra hablada, el hombre está continuamente haciendo leyes para sí mismo. Conocí a un hombre que decía que nunca podía conseguir taxi, que siempre se iban justo cuando el salía a buscarlos. Sin embargo, su hija decía que a ella le pasaba lo contrario. Siempre había un taxi esperándola cuando necesitaba uno, y así ocurrió para ambos, durante años. Cada uno había hecho una ley distinta para sí mismo, una de fracaso, y otra de éxito. Esta es la psicología de las supersticiones.

La herradura o la pata de conejo no contienen ningún poder, pero la palabra del hombre y la creencia de que le traerá buena suerte crea expectativa en la mente subconsciente, y atrae situaciones afortunadas. Sin embargo, encuentro que esto no funciona cuando el hombre ha avanzado espiritualmente y conoce una ley superior. Uno no puede volver atrás, y debe apartar las imágenes esculpidas con anterioridad.

Por ejemplo, dos hombres que asistían a mi clase habían tenido un gran éxito en los negocios durante varios meses, cuando de repente todo se derrumbó. Tratamos de analizar la situación y descubrí que, en lugar de hacer sus afirmaciones y buscar a Dios para el éxito y la prosperidad, cada uno había comprado un amuleto del mono de la suerte.

—Ya veo, han estado confiando en los monos de la suerte en vez de en Dios— dije—. Mejor dejen a los monos de la suerte e invoquen la ley del perdón, pues el hombre tiene poder para perdonar o neutralizar sus errores.

Decidieron tirar a los monos de la suerte por un pozo, y todo volvió a estar bien. Esto no significa, sin embargo, que uno deba tirar todos los adornos o herraduras de la suerte de la casa, sino que debe reconocer que el poder que hay detrás es el de Dios, y que ese es el único poder; el objeto simplemente nos otorga un sentimiento de expectación.

Un día estaba con una amiga que estaba muy desesperada. Al cruzar la calle vio una herradura y la recogió, e inmediatamente se llenó de alegría y esperanza. Dijo que Dios le había enviado la herradura para darle valor. En ese momento, eso era lo único que su conciencia podría haber aceptado, y su esperanza se convirtió en fe. Finalmente fue una maravillosa demostración.

Quiero dejar claro que los hombres mencionados anteriormente dependían de los monos en sí, mientras que esta mujer reconoció el poder representado en la herradura. A mí me llevó mucho tiempo aceptar la realidad de que algo podría causarnos una decepción. Si este algo ocurría, se sufriría de decepción, invariablemente. La única forma en la que pude hacer un cambio en el subconsciente, fue afirmando: "No hay dos poderes, sólo hay un poder, y ese poder es Dios, por lo tanto, no hay decepciones, y este algo no significa nada más que una feliz sorpresa". Enseguida noté un cambio, y empezaron a llegarme sorpresas felices.

Tengo una amiga que decía que nada podría convencerla a caminar bajo una escalera. Le dije que, si tenía miedo, estaba cediendo a la creencia de dos poderes, el bien y el mal, en lugar de uno. Como Dios es absoluto, no puede haber ningún poder opuesto, a menos que el hombre se haga el mal a sí mismo. También le sugerí que, para demostrar su creencia en el solo poder de Dios y demostrar que no había poder ni realidad en el mal, pasara por debajo de la siguiente escalera que viera.

Poco después fue a su banco porque necesitaba

acceso a su caja fuerte, y en su camino había una escalera. Era imposible llegar a la caja sin pasar por debajo de la escalera, tembló de miedo y se dio la vuelta. No podía enfrentarse al león en su camino. Sin embargo, cuando llegó a la calle, mis palabras resonaron en sus oídos y decidió volver y pasar por debajo de ella. Fue un gran momento en su vida, ya que las escaleras la habían mantenido esclavizada durante años. Volvió hasta la bóveda, ¡y la escalera ya no estaba allí! Esto ocurre muy a menudo. Si uno está dispuesto a hacer algo que le da miedo, es probable que, cuando esté dispuesto a enfrentarlo, ya no tenga que hacerlo. Es la ley de la no resistencia, que es tan difícil de entender.

Alguien ha dicho que el valor contiene genio y magia. Afronta una situación sin miedo, y no hay situación que afrontar; se cae por su propio peso. La explicación es que el miedo atrajo la escalera en el camino de la mujer y la intrepidez la eliminó. Así, las fuerzas invisibles están siempre trabajando para el hombre, quien siempre está moviendo los hilos él mismo, aunque no lo sepa.

Debido al poder vibratorio de las palabras, todo lo que el hombre expresa comienza a ser atraído. Las personas que hablan continuamente de la enfermedad, invariablemente la atraen. Una vez que el hombre conoce la verdad, deberá ser sumamente cuidadoso con sus palabras. Por ejemplo, tengo un amigo que a menudo me llama para invitarme a una charla a la antigua. Esta "charla a la antigua" se traduce en una hora de palabras destructivas cuyos temas principales son la pérdida, la carencia, el fracaso y la enfermedad. Yo le respondo que no acepto la invitación, que se lo agradezco, pero que he tenido suficientes charlas a la antigua en mi vida, y que suelen salir demasiado caras. Sin embargo, le ofrezco la alternativa de tener una charla a lo moderno, y hablar de lo que queremos en vez de lo que no queremos.

Hay un viejo dicho que dice que el hombre sólo se atreve a usar sus palabras para tres propósitos: curar, bendecir o prosperar. Lo que el hombre dice de los demás se dirá de él, y lo que desea para otro, lo está deseando para sí mismo. Las maldiciones son como las gallinas, vuelven a casa a la hora de dormir. Si un hombre le desea mala suerte a otro es seguro que él mismo se atraerá la mala suerte. Si desea ayudar a alguien a tener éxito, está deseando y ayudándose a sí mismo a tener éxito. El cuerpo puede ser renovado y transformado a través de la palabra hablada y la visión clara, y la enfermedad puede ser completamente eliminada de la conciencia. El metafísico sabe que toda enfermedad tiene una correspondencia mental, y para curar el cuerpo hay que curar el alma. El alma es la mente subconsciente y debe ser salvada del pensamiento erróneo.

En el salmo veintitrés leemos: "Él restaura mi alma". Esto significa que la mente subconsciente, o alma, debe ser restaurada con las ideas correctas, y el matrimonio místico es el matrimonio del alma y el espíritu, o de la mente subconsciente y superconsciente. Deben ser uno. Cuando el subconsciente es inundado con las ideas perfectas del superconsciente, Dios y el hombre son uno. "Yo y el Padre somos uno". Es decir, el hombre es uno con el reino de las ideas perfectas; es el hombre hecho a semejanza e imagen de Dios (imaginación) y se le da poder y dominio sobre todas las cosas creadas, su mente, su cuerpo y sus asuntos.

Se puede decir que toda enfermedad e infelicidad provienen de la violación de la ley del amor. Un nuevo mandamiento os doy: "Amaos los unos a los otros", y en el juego de la vida, el amor o la buena voluntad se lleva todas las bazas. Por ejemplo, una mujer que conozco tuvo, durante años, una terrible enfermedad de la piel. Los médicos le dijeron que era incurable y ella estaba desesperada. Trabajaba en los escenarios, y temía que pronto tendría que dejar su profesión pues no tenía ningún otro medio de sustento.

A pesar de su miedo consiguió un buen contrato y, en la noche del estreno, tuvo un gran éxito. Recibió halagos de los críticos y se sintió feliz y eufórica. Sin embargo, al día siguiente recibió una notificación de despido porque un compañero de reparto estaba celoso de su éxito y había provocado que la corrieran. Sintió que el odio y el resentimiento se apoderaban completamente de ella, y suplicó: "Dios, no permitas que odie a ese hombre". Esa noche trabajó durante horas en su silencio. Me comentó que había entrado en un silencio muy profundo y que parecía estar en paz consigo misma, con el hombre y con el mundo entero. Continuó así durante las dos noches siguientes, y al tercer día descubrió que estaba completamente curada de la enfermedad de la piel.

Al pedir amor, o buena voluntad, había cumplido la ley, (porque el amor es el cumplimiento de la ley) y la enfermedad (que provenía del resentimiento subconsciente) fue eliminada. La crítica continua produce reumatismo, ya que los pensamientos críticos e inarmónicos provocan depósitos antinaturales en la sangre que se instalan en las articulaciones. Los celos, el odio, la falta de perdón, el miedo, etc. causan falsos crecimientos. Toda enfermedad es causada por una mente que no está tranquila.

Una vez dije en mi clase que era inútil preguntarle a alguien qué le pasaba. Para el caso, era mejor preguntarles "quién" les pasaba. La falta de perdón es la causa más prolífica de enfermedad. Endurece las arterias o el hígado, afecta a la vista y hay un sinfín de males en su trayecto. Un día visité a una mujer que me dijo que estaba enferma por haber comido una ostra envenenada. Le contesté que no era así, sino que ella había atraído al fatídico molusco. Bastante molesta, me dijo que eso no podía ser, que era imposible que, de entre diecinueve comensales, solo ella hubiese atraído a la ostra en mal estado. Sin embargo, ella había discutido con estas diecinueve personas y se había molestado mucho, entrando en desarmonía, lo que atrajo a la ostra equivocada a su plato.

Cualquier inarmonía en el exterior indica que hay inarmonía mental: como en el interior, así en el exterior. Los únicos enemigos del hombre están dentro de sí mismo. "Y los enemigos del hombre serán los de su propia casa". La personalidad es uno de los últimos enemigos a vencer, ya que este planeta está apenas en la etapa de iniciación del amor. El mensaje de Cristo fue paz en la tierra, y a los hombres buena voluntad. El hombre iluminado, por lo tanto, se esfuerza por perfeccionarse en el prójimo. Su trabajo es consigo mismo, para enviar buena voluntad y bendiciones a cada hombre, y lo maravilloso es que, si uno bendice a un hombre, éste no tiene poder para dañarle.

Un hombre vino a mí pidiendo que lo ministrara para tener éxito en los negocios. Estaba vendiendo maquinaria cuando apareció un rival en escena con una máquina que decía era mucho mejor, y mi amigo temía la derrota. Le dije que, en primer lugar. debía eliminar todo temor, que se sintiera seguro de que Dios protegía sus intereses, y que de esa situación saldría una idea divina. Es decir, se vendería la máquina correcta al hombre correcto. Le sugerí que no tuviera ni un solo pensamiento crítico hacia ese hombre, sino que lo bendijera todo el día, y también añadí que debía estar dispuesto a no vender su máquina si no era esa la idea divina.

El hombre fue a la reunión, sin miedo y sin resistencia, y bendiciendo al otro hombre. Dijo que el resultado fue muy notable; la máquina del otro hombre se negó a funcionar y él vendió la suya sin la menor dificultad. "Pero yo os digo que améis a vuestros enemigos, que bendigáis a los que os maldicen, que hagáis el bien a los que os odian y que recéis por los que os maltratan y os persiguen". La buena voluntad produce una gran aura de protección en torno a quien la envía, y ningún arma que se forme contra él prosperará. En otras palabras, el amor y la buena voluntad destruyen a los enemigos dentro de uno mismo, por lo que no se tienen enemigos en el exterior. ¡Hay paz en la tierra para el que envía la buena voluntad al hombre!

CAPÍTULO CUATRO

La ley de
la no resistencia

"No te resistas al mal. No te dejes vencer por el mal sino vence el mal con el bien". Nada en la tierra puede resistirse a una persona absolutamente no resistente. Los chinos dicen que el agua es el elemento más poderoso, porque es perfectamente no resistente. Puede desgastar una roca y barrer todo ante ella al mismo tiempo que es moldeable y suave. Jesucristo dijo: "No resistáis el mal", porque sabía que en realidad no hay ningún mal, por lo tanto, no hay nada que resistir. El mal ha venido de la vana imaginación del hombre o de la creencia en dos poderes: el bien y el mal.

Hay una antigua leyenda que dice que Adán y Eva comieron de Maya, el árbol de la ilusión, y vieron dos poderes en lugar del poder único de Dios. Por lo tanto, el mal es una ley falsa que el hombre ha hecho para sí mismo a través del psicoma o sueño del alma. El sueño del alma significa que el alma del hombre ha sido hipnotizada por la creencia de la raza (del pecado, la enfermedad y la muerte, etc.), que es el pensamiento carnal o mortal, y sus asuntos han superado sus ilusiones.

Hemos leído en un capítulo anterior que el alma del hombre es su mente subconsciente, y todo lo que siente profundamente, bueno o malo, es exteriorizado por ese fiel servidor. Su cuerpo y sus asuntos muestran lo que ha estado imaginando. El enfermo ha representado la enfermedad; el pobre, la pobreza; el rico, la riqueza. La gente suele preguntarse por qué un niño pequeño atrae la enfermedad cuando es demasiado joven incluso para saber lo que significa. Yo respondo que los niños son sensibles y receptivos a los pensamientos de los demás sobre ellos y, a menudo, exteriorizan los temores de sus padres.

Una vez oí decir a un metafísico: "Si no diriges tú mismo tu subconsciente, otro lo hará por ti". Las madres, a menudo inconscientemente, atraen la enfermedad y la desarmonía a sus hijos, manteniéndolos continuamente envueltos en pensamientos de miedo y vigilando los síntomas.

Una amiga preguntó a una mujer si su pequeña había tenido sarampión, a lo que ella respondió inmediatamente que todavía no. Esto implicaba que estaba esperando la enfermedad y, por lo tanto, preparando el camino para exactamente lo que no quería que sucediera. Sin embargo, el hombre que está centrado y establecido en el pensamiento correcto; el hombre que envía sólo buena voluntad a su prójimo y que no tiene miedo no puede ser tocado o influenciado por los pensamientos negativos de los demás. De hecho, podría entonces recibir sólo pensamientos buenos, ya que él mismo envía sólo pensamientos buenos. La resistencia es el infierno, pues coloca al hombre en un estado de tormento.

Un metafísico me dio una receta maravillosa para sortear los trucos en el juego de la vida, la magia de la no resistencia, y me la compartió de la siguiente manera. Me dijo que, en una época de su vida, había bautizado niños, y que había descubierto muchos nombres al hacerlo. Sin embargo, me confesó que ahora ya no bautiza niños, sino que bautiza acontecimientos, pero a cada acontecimiento le da el mismo nombre. Si tiene un fracaso lo bautiza con éxito, en el nombre del Padre, del Hijo y del Espíritu Santo. Aquí podemos ver la gran ley de la transmutación fundada en la no resistencia. A través de su palabra, todo fracaso se transmutaba en éxito.

Una mujer que necesitaba dinero y que conocía la ley espiritual de la opulencia sostenía negocios de forma regular con un hombre que la hacía sentir muy pobre. Él hablaba de carencias y limitaciones y ella comenzó a contagiarse de sus pensamientos de pobreza, por lo que le desagradaba y le culpaba de su fracaso. Ella sabía que, para demostrar su magnificencia, primero debía sentir que había recibido: su sentimiento de opulencia debía preceder a su manifestación.

Un día se dio cuenta de que estaba resistiendo la situación y viendo dos poderes en lugar de uno, así que bendijo al hombre y bautizó la situación como exitosa. Afirmó "como sólo hay un poder, y ese es el de Dios, este hombre está aquí para mi bien y mi prosperidad" (justo lo contrario de lo que parecía estar sucediendo). Poco después conoció, a través de este hombre, a una mujer que le pagó varios miles de dólares por un servicio, y el hombre se trasladó a una ciudad lejana, desvaneciéndose armoniosamente de su vida.

Hagan esta afirmación: "todo hombre es un eslabón de oro en la cadena de mi bien. Todos los hombres son Dios en manifestación, esperando la oportunidad que el propio hombre le da para servir al plan divino de su vida. Bendice a tu enemigo y le robarás sus municiones. Sus flechas serán transmutadas en bendiciones". Esta ley es válida tanto para las naciones como para los individuos. Bendice a una nación, envía amor y buena voluntad a cada uno de sus habitantes, y se eliminará su poder de daño. Sólo a través de la comprensión espiritual puede el hombre tener la idea correcta de la no resistencia. Mis alumnos han dicho a menudo que no quieren ser alfombra de nadie, a lo que respondo que, si usan la no resistencia con sabiduría, nadie podrá pasar por encima de ellos.

Otro ejemplo: Un día estaba esperando impacientemente una llamada telefónica importante, así que me resistí a realizar llamadas pensando que podrían interferir con la que estaba esperando. En lugar de decir: "Las ideas divinas nunca entran en conflicto, la llamada llegará en el momento oportuno", dejando que la Inteligencia Infinita se encargara de ello, comencé a manejar las cosas yo misma e hice mía la batalla en vez de dejarlo en manos de Dios.

No recibí llamadas durante más o menos una hora, y al mirar el teléfono descubrí que el receptor del teléfono estaba desconectado. Mi ansiedad, el miedo y la creencia en las interferencias había hecho que no revisara el teléfono, creando esta situación. Al darme cuenta de lo que había hecho comencé a bendecir la situación de inmediato; la bauticé como una situación de éxito, y afirmé que no podía perder ninguna llamada que me perteneciera por derecho divino, pues estaba bajo la gracia y no bajo la ley.

Un amigo mío salió corriendo hacia el teléfono más cercano para avisar a la compañía y reconectar el servicio. Entró en una tienda de comestibles abarrotada, pero el propietario dejó a sus clientes y realizó él mismo la llamada. Reconectaron mi teléfono de inmediato y dos minutos más tarde recibí una llamada muy importante. Aproximadamente una hora después, recibí la que había estado esperando.

Los barcos llegan sobre un mar en calma. Mientras el hombre se resista a una situación, la atraerá a sí mismo. Si huye de ella, ésta lo perseguirá. Un día le repetí esto a una mujer y me respondió que era muy cierto, que ella era infeliz en casa, le disgustaba su madre porque era crítica y dominante, y por ello había decidido huir de la situación y casarse. Sin embargo, me confesó que se había casado con su propia madre, porque el esposo actuaba exactamente igual, y tuvo que enfrentarse a la misma experiencia.

"Ponte de acuerdo con tu adversario rápidamente". Eso significa estar de acuerdo con que la situación adversa es buena, significa no molestarse por ella y dejar que caiga por su propio peso. "Ninguna de estas cosas me conmueve", es una afirmación maravillosa. La situación inarmónica proviene de la falta de armonía dentro del propio hombre. Cuando no hay ninguna respuesta emocional a una situación carente de armonía, ésta se desvanece para siempre. Por lo tanto, vemos que el trabajo del hombre es siempre consigo mismo.

Hay personas que me han pedido que les

ministre para que la actitud de sus parejas o familiares cambie, pero les respondo que a quien debo ministrar es a ellos mismos, y que cuando ellos cambien, sus parejas o familiares también lo harán. Una de mis alumnas tenía la costumbre de mentir. Le dije que era un método fallido y que, si mentía, a ella también le mentirían. Sin embargo, me contestó que no le importaba porque no sabía cómo enfrentar la vida sin mentir.

Un día estaba hablando por teléfono con un hombre del que estaba muy enamorada. Se volvió hacia mí y me dijo que no se fiaba de él, y que sabía que le mentía. Le contesté que ella mentía, y que, por lo tanto, alguien le mentiría de vuelta, y que esa mentira vendría precisamente de alguien realmente importante en su vida. La vi algún tiempo después y me confesó que se había curado y que no mentía más. Cuando le pregunté qué era lo que había logrado el cambio, me respondió que había estado viviendo con alguien que mentía incluso más que ella.

A menudo nos curamos de nuestros defectos viéndolos en los demás. La vida es un espejo, y usualmente nos encontramos a nosotros mismos reflejados en las personas que nos rodean. Vivir en el pasado es un método de fracaso y una violación de la ley espiritual. Jesucristo dijo: "He aquí, ahora es el tiempo aceptable, he aquí ahora el día de la salvación". La mujer de Lot miró hacia atrás y se convirtió en una estatua de sal.

Los ladrones del tiempo son el pasado y el futuro. El hombre debe bendecir el pasado y olvidarlo, pues este lo mantiene en la esclavitud. Debe bendecir el futuro, sabiendo que le tiene reservadas infinitas alegrías mientras vive plenamente en el ahora.

Una mujer vino a verme, quejándose de que no tenía dinero para comprar los regalos de Navidad. Me relató que el año pasado había sido muy diferente, tenía mucho dinero y había repartido unos regalos preciosos, pero este año apenas y tenía unos centavos. Le contesté que no manifestaría dinero mientras conservara una actitud patética y viviera en el pasado. Le aconsejé que viviera plenamente en el ahora, y que se preparara para repartir sus regalos de Navidad. "Cava tus zanjas y el dinero llegará".

—¡Ya sé qué hacer!—exclamó—. Compraré papel y listones, e incluso algunas cajas navideñas.

—Hazlo, y los regalos llegarán para envolverse en tus listones—le afirmé.

Esto también mostraba intrepidez financiera y fe en Dios, ya que la mente razonadora le decía que guardara cada centavo porque no estaba segura de recibir más. Compró los listones, el papel y las cajas, y unos días antes de Navidad recibió un regalo de varios cientos de dólares. La compra de los listones y el papel había impresionado al subconsciente con la expectativa, abriendo el camino para la manifestación del dinero. Compró todos los regalos con tiempo suficiente. El hombre debe vivir suspendido en el momento. "¡Mira bien, pues, este Día! Tal es el saludo de la aurora". Su espíritu debe permanecer alerta siempre, pendiente de las pistas y aprovechando todas las oportunidades.

Cierto día le pedí al espíritu infinito que no me permitiera perderme ninguna oportunidad. Lo repetí muchas veces y recibí un mensaje muy importante esa misma noche. También es muy necesario comenzar el día con las palabras correctas. Se puede hacer una afirmación inmediatamente al despertar, como, por ejemplo: "¡Hágase hoy tu voluntad! Hoy es un día de plenitud; doy gracias por este día perfecto, el milagro seguirá al milagro y las maravillas nunca cesarán". Hagan de esto un hábito, y verán maravillas y milagros reflejados en sus vidas. En una de mis lecturas diarias me encontré con esta frase: "¡Mira con asombro lo que tienes delante!" Parecía ser mi mensaje del día, así que la repetí una y otra vez. Alrededor del mediodía me fue entregada una gran suma de dinero que había estado deseando para un determinado propósito.

En otro capítulo proporcionaré las afirmaciones que he encontrado más efectivas. Sin embargo, uno nunca debe usar una afirmación a menos que sea absolutamente satisfactoria y convincente para su propia conciencia, y a menudo deben cambiarse para adaptarse a diferentes personas. Por ejemplo, esta ha traído el éxito a muchos: "Tengo un trabajo maravilloso que realizo de una manera maravillosa, y doy un servicio maravilloso, por una paga maravillosa".

Le proporcioné las dos primeras líneas a una de mis estudiantes y ella añadió las dos últimas. Era una frase muy poderosa, ya que siempre debería haber un pago perfecto por un servicio perfecto, y la rima se hunde fácilmente en el subconsciente. Se puso a cantarla en voz alta y pronto recibió una oferta para un trabajo maravilloso de forma maravillosa, y prestó un servicio maravilloso a cambio de una paga maravillosa. Otro estudiante, un hombre de negocios, la tomó y cambió la palabra trabajo por negocio: tengo un negocio maravilloso, que realizo de una manera maravillosa, y doy un servicio maravilloso por una paga maravillosa. Aquella tarde hizo un negocio de cuarenta y un mil dólares, aunque no había tenido actividad significativa en su empresa durante meses. Cada afirmación debe estar cuidadosamente redactada, además de que debe cubrir todas las necesidades.

Conocí a una mujer que estaba muy necesitada y demandó que le fuese dado mucho trabajo. Lo recibió en grandes cantidades, pero nunca le pagaron. Ahora sabe que debe añadir la parte de la maravillosa paga. ¡El hombre tiene el derecho divino de tener abundancia! ¡Más que suficiente! "¡Sus graneros deben estar llenos, y su copa debe rebosar!" Esta es la idea de Dios para el hombre, y cuando el hombre rompa las barreras de la carencia en su propia conciencia, la edad de oro será suya y se cumplirá todo justo deseo de su corazón.

CAPÍTULO CINCO

La ley del karma y la ley del perdón

El hombre recibe sólo lo que da. El juego de la vida es un juego de boomerangs; los pensamientos, los actos y las palabras del hombre vuelven a él tarde o temprano, y con una precisión asombrosa. Esta es la ley del Karma, que en sánscrito significa "de regreso". Todo lo que un hombre siembra, eso también cosechará. Una amiga me contó esta historia sobre ella misma que ilustra esta ley a perfección. Me dijo que tenía un ciclo kármico con su tía, que todo lo que le decía, alguien más se lo repetía a ella. Un día que estaba un poco irritable le pidió que no le hablara durante la hora de la cena, pues deseaba comer en paz. Al día siguiente se sentó a comer con una mujer a la que deseaba causarle una gran impresión y empezó a hablarle animadamente, y esta persona le pidió que no le hablara más porque deseaba comer en paz.

Mi amiga está en un plano de conciencia más elevado, por lo que su karma regresa mucho más rápidamente que el de aquellos en el plano mental. Cuanto más sabe el hombre, más responsable es, y una persona con conocimiento de la ley espiritual que no la practica, sufre mucho. "El temor del Señor (ley) es el principio de la sabiduría". Si leemos la palabra Señor, ley, hará que muchos pasajes de la Biblia sean mucho más claros. "Mía es la venganza, yo pagaré, dice el Señor" (ley). Es la ley la que se venga, no Dios. Dios ve al hombre perfecto, creado a su imagen y semejanza (imaginación) y le da poder y dominio.

Esta es la idea perfecta del hombre registrada en la mente divina esperando el reconocimiento del propio hombre; porque el hombre sólo puede ser lo que ve o cree que es, y sólo puede alcanzar lo que ve o cree que puede alcanzar. Hay un antiguo dicho que dice que nada ocurre sin un observador. El hombre ve primero su fracaso o su éxito, su alegría o su tristeza, antes de que se haga visible desde las escenas que se han montado en su propia imaginación.

Lo hemos observado en la madre que imagina la enfermedad de su hijo, o en la mujer que ve el éxito de su marido. Jesucristo dijo: "Y conoceréis la verdad y la verdad os hará libres". Así, vemos que la libertad (de todas las condiciones infelices) viene a través del conocimiento de la ley espiritual. La obediencia precede a la autoridad, y la ley obedece al hombre cuando éste obedece a la ley. La ley de la electricidad debe ser obedecida antes de que se convierta en sierva del hombre. Cuando se maneja ignorantemente, se convierte en el enemigo mortal del hombre. Lo mismo ocurre con las leyes de la mente.

Conocí a una mujer con una fuerte voluntad

personal que deseaba ser dueña de una casa que pertenecía a un conocido, y a menudo se imaginaba a sí misma viviendo en la casa. Con el tiempo, el hombre murió y ella se mudó a la casa. Varios años después, al conocer la ley espiritual, me preguntó si yo creía que su deseo había tenido que ver con la muerte el hombre. Le dije que su deseo había sido tan fuerte que debido a eso todo se había colocado de manera que ella obtuviera la casa. Sin embargo, la tranquilicé diciéndole que ya había pagado su deuda kármica, pues el esposo al que amaba con devoción había muerto poco después, y la casa le resultó ser un elefante blanco durante muchos años.

Sin embargo, el propietario original no podría haber sido afectado por sus pensamientos si su actitud hubiese sido positiva y actuada en la verdad, al igual que su marido, pero ambos estaban bajo la ley kármica. La mujer debería haber dicho (sintiendo el gran deseo de poseer esa casa), algo así: inteligencia infinita, dame la casa correcta, igualmente encantadora como ésta, una casa que sea mía por derecho divino. La selección divina le habría dado una satisfacción perfecta y habría traído el bien a todos. El patrón divino es el único patrón seguro bajo el que se debe trabajar. El deseo es una fuerza tremenda, y debe ser dirigido hacia los canales correctos, o sobrevendrá el caos.

Al declarar, el paso más importante es el primero: pedir correctamente. El hombre debe exigir siempre sólo lo que le corresponde por derecho divino. Volviendo al ejemplo, si la mujer hubiera cambiado sus palabras al desear la casa sólo si era su selección divina, el hombre podría haber decidido mudarse armoniosamente, o habría sido sustituida por otra casa. Cualquier cosa cuya manifestación es forzada a través de la voluntad personal se malogra y no tiene un buen éxito.

Al hombre se le dice "hágase mi voluntad, no la tuya", y lo curioso es que el hombre siempre obtiene justo lo que desea cuando renuncia a la voluntad personal, permitiendo así que la inteligencia infinita trabaje a través de él. "Quedaos quietos y ved la salvación del Señor" (ley).

Una mujer vino a mí en gran aflicción. Su hija había decidido hacer un viaje muy peligroso, y ella estaba llena de miedos. Dijo que había utilizado todos los argumentos, le había señalado los peligros que iba a encontrar y le había prohibido ir, pero la hija se mostraba cada vez más rebelde y decidida. Le dije a la madre que estaba imponiéndole su voluntad personal a su hija, lo que no tenía derecho a hacer, y su miedo al viaje no hacía otra cosa que atraer los peligros, pues el hombre atrae lo que teme.

Le indiqué que debía soltar, quitar sus manos mentales y ponerlo en manos de Dios utilizando esta afirmación: "pongo esta situación en manos del amor y la sabiduría infinitos; si este viaje es el plan divino, lo bendigo y ya no me resisto, pero si no está divinamente planeado, doy gracias porque ahora se disolverá y disipará." Uno o dos días después, su hija le dijo que había renunciado al viaje, y la madre no sufrió más angustias.

Es aprender a quedarse quieto, lo que parece tan difícil para el hombre. Trataré más ampliamente esta ley en el capítulo sobre la no resistencia. Aquí daré otro ejemplo de siembra y cosecha, que se dio de la manera más curiosa. Una mujer vino a decirme que había recibido un billete falso de veinte dólares de un banco, y estaba muy preocupada porque creía que el personal nunca reconocería su error. Le pedí que analizáramos la situación y averiguáramos por qué había atraído esa situación. Ella pensó unos instantes y recordó haberle enviado unos billetes de juguete a un amigo como parte de una broma, por lo que la ley le había enviado dinero de juguete a cambio, pues no entiende las bromas. Le dije que invocaríamos la ley del perdón, neutralizando así la situación.

El cristianismo se basa en la ley del perdón. Cristo nos ha redimido de la maldición de la ley kármica, y el Cristo dentro de cada uno de nosotros es su propio redentor y su salvación de todas las condiciones inarmónicas.

—Espíritu infinito, invocamos la ley del perdón y damos gracias porque ella está bajo la gracia y no bajo la ley, y no puede perder estos veinte dólares que son suyos por derecho divino— dije—. Ahora vuelve al banco y diles, sin miedo, que te lo han dado allí por error.

Ella obedeció y, para su sorpresa, se disculparon y le dieron otro billete, tratándola muy cortésmente. El conocimiento de la ley da al hombre el poder de borrar sus errores, y el hombre no puede obligar a lo externo a ser lo que no es. Si desea riquezas, primero debe ser rico en conciencia.

Una mujer me pidió que predicara para que recibiera prosperidad. Ella no se interesaba mucho por los asuntos de su hogar y su casa estaba muy desordenada, por lo que le dije que, si quería ser rica, debía ser ordenada. Agregué que todos los hombres con grandes riquezas son ordenados, que el orden es la primera ley del cielo, y que nunca se haría rica guardando una cerilla quemada en el alfiletero.

Ella tenía un buen sentido del humor y comenzó inmediatamente a poner en orden su casa. Reacomodó los muebles, ordenó los cajones de la mesa, limpió las alfombras y pronto llegó una gran demostración financiera en la forma de un regalo de un pariente. La mujer, por su parte, se mantiene en forma financiera, su casa y su persona permanecen en orden y está siempre atenta a lo externo, esperando la prosperidad, sabiendo que Dios es su suministro. Muchas personas ignoran que los regalos y las cosas son inversiones, y que el acaparamiento y el ahorro conducen invariablemente a la pérdida. "Hay quien dispersa y sin embargo aumenta; y hay quien retiene más de lo debido, pero tiende a la pobreza".

Por ejemplo, conocí a un hombre que quería comprar un abrigo de pieles. Él y su mujer fueron a varias tiendas, pero no había ninguno que le gustara. Decía que todos eran demasiado baratos. Por fin le mostraron uno que, según el vendedor, estaba valorado en mil dólares, pero que el gerente se lo vendería por quinientos dólares ya que casi terminaba la temporada. Sus posesiones financieras ascendían a unos setecientos dólares, por lo que la mente razonadora le habría advertido que no podía permitirse gastar casi todo lo que tenía en un abrigo. Sin embargo, él era muy intuitivo y un tanto impulsivo, por lo que pocas veces razonaba. Se dirigió a su mujer y le dijo que, si compraba ese abrigo, ganaría mucho dinero, por lo que ella consintió débilmente a su deseo. Un mes después recibió una comisión de diez mil dólares. El abrigo le hizo sentirse muy rico y lo relacionó con el éxito y la prosperidad; sin el abrigo, no habría recibido la comisión.

Fue una inversión que le reportó grandes dividendos.Si el hombre ignora estas indicaciones para gastar o dar, la misma cantidad de dinero se irá por un camino poco interesante o infeliz.

Una mujer me contó que le había informado a su familia que no podían permitirse una cena de acción de gracias ese año. Tenía el dinero, pero había decidido ahorrarlo. Unos días después alguien entró en su habitación y sacó del cajón de la cómoda la cantidad exacta que habría costado la cena.

La ley siempre respalda al hombre que gasta sin miedo, con sabiduría. Una de mis alumnas estaba de compras con su sobrino pequeño y el niño clamaba por un juguete, pero ella le dijo que no podía comprarlo. Ella se dio cuenta de que estaba buscando la carencia, ¡y no reconociendo a Dios como su suministro! así que compró el juguete y, de camino a casa, encontró tirado en la calle la cantidad exacta de dinero que había pagado por ese juguete. El suministro del hombre es inagotable e infalible cuando se confía plenamente, pero la fe o la confianza deben preceder a la demostración. "Según vuestra fe os sea concedido". La fe es la sustancia de las cosas que se esperan y la evidencia de las cosas que no se ven, pues la fe mantiene firme la visión, las imágenes adversas se disuelven y se disipan, y a su tiempo segaremos, siempre que no desmayemos.

Jesucristo trajo la buena noticia (el evangelio) de que había una ley más alta y que trascendía a la ley del karma. Es la ley de la gracia, o del perdón, la ley que libera al hombre de la ley de causa y efecto, la ley de las consecuencias. "Bajo la gracia, y no bajo la ley". Se nos dice que, en este plano, el hombre cosecha donde no ha sembrado; los dones de Dios son simplemente derramados sobre él. "Todo lo que el Reino ofrece es suyo". Este estado continuado de bienaventuranza espera al hombre que ha superado el pensamiento de la raza (o del mundo). En el pensamiento del mundo hay tribulación, pero Jesucristo dijo: "Tened buen ánimo; yo he vencido al mundo". El pensamiento del mundo es el del pecado, la enfermedad y la muerte. Él vio su absoluta irrealidad y dijo: "La enfermedad y el dolor pasarán y la muerte misma, el enemigo máximo, será vencida".

Sabemos ahora, desde un punto de vista científico, que la muerte podría ser vencida imprimiendo en la mente subconsciente la convicción de la eterna juventud y la vida eterna.

El subconciente sin dirección cumple órdenes sin cuestionarlas. Trabajando bajo la dirección del superconsciente (el Cristo o Dios dentro del hombre) se lograría la resurrección del cuerpo. El hombre ya no se desprendería de su cuerpo en la muerte, se transformaría en el cuerpo eléctrico descrito por Walt Whitman, pues el cristianismo se funda en el perdón de los pecados y en una tumba vacía.

CAPÍTULO SEIS

Delegando la carga; impresionando al subconsciente

Cuando el hombre conoce sus propios poderes y el funcionamiento de su mente, su gran deseo es encontrar una manera fácil y rápida de impresionar al subconsciente con el bien, ya que el simple conocimiento intelectual de la Verdad no traerá resultados.

En mi propio caso, encontré que la manera más fácil es delegar la carga. Un metafísico lo explicó una vez de esta manera: lo único que da peso a cualquier cosa en la naturaleza es la ley de la gravitación, y si un canto rodado pudiera ser llevado a lo alto del planeta, no habría peso en ese canto rodado. Eso es lo que Jesucristo quiso decir cuando dijo: "Mi yugo es fácil y mi carga es ligera". Él había superado la vibración del mundo y funcionaba en el reino de la cuarta dimensión donde sólo hay perfección, culminación, vida y alegría. Él dijo: "Venid a mí todos los que estáis fatigados y cargados, y yo os haré descansar. Tomad mi yugo sobre vosotros, porque mi yugo es fácil y mi carga es ligera".

También se nos dice "Echa tu carga sobre el Señor" en el salmo cincuenta y cinco. Muchos pasajes de la Biblia afirman que la batalla es de Dios, no del hombre, y que el hombre siempre debe quedarse quieto y ver la salvación del Señor. Esto indica que la mente superconsciente (o Cristo interior) es el departamento que libra la batalla del hombre y lo libera de las cargas. Vemos, pues, que el hombre viola la ley si lleva una carga, y una carga es un pensamiento o condición adversa, y este pensamiento o condición tiene su raíz en el subconsciente. Parece casi imposible avanzar dirigiendo el subconsciente desde la mente consciente o razonadora, ya que la mente razonadora (el intelecto) está limitada en sus concepciones y llena de dudas y temores. Qué científico es, entonces, arrojar la carga sobre la mente superconsciente (o Cristo interior) donde se hace la luz, o se disuelve en la nada.

Una mujer que tiene una necesidad urgente de dinero delega la carga al Cristo interior, el superconsciente, con la afirmación: echo esta carga de carencia sobre el Cristo (interior) y me libero para tener abundancia. La creencia en la carencia era su carga, y al arrojarla sobre el superconsciente con su creencia en la abundancia, recibió una avalancha de suministros.

Leemos: "El Cristo en ti; la esperanza de la gloria". A una de mis alumnas le habían regalado un nuevo piano, pero no había espacio para colocarlo en su estudio a menos que se deshiciera del viejo. Estaba confundida. Quería conservar el piano pero no tenía a dónde enviarlo, y estaba desesperada porque el nuevo sería enviado inmediatamente. De hecho, ya estaba en camino. Fue entonces cuando decidió repetir "arrojo esta carga sobre el Cristo interior, y me libero". Unos instantes después sonó su teléfono y una amiga le preguntó si podía alquilar su viejo piano, quitándolo de sus manos unos minutos antes de que llegara el nuevo.

Conocí a una mujer cuya carga era el resentimiento que empezó a repetir "arrojo esta carga de resentimiento al Cristo interior y me libero para ser amorosa, armoniosa y feliz". El super consciente Todopoderoso inundó el subconsciente con amor, y toda su vida cambió. Durante años, el resentimiento la había mantenido en un estado de tormento y había aprisionado su alma (la mente subconsciente). La afirmación debe hacerse una y otra vez, a veces durante horas, en silencio o de forma audible, con tranquilidad y con determinación. A menudo lo he comparado con dar cuerda a un antiguo reloj. Debemos darnos cuerda con palabras habladas.

He notado que, al delegar la carga, uno parece ver con claridad. Es imposible tener una visión clara mientras se está en la agonía de la mente carnal. Las dudas y el miedo envenenan la mente y el cuerpo, la imaginación se desboca atrayendo el desastre y la enfermedad. La visión se aclara al repetir constantemente la afirmación: arrojo esta carga al Cristo interior y me libero. Con ella llega un sentimiento de alivio y tarde o temprano llega la manifestación del bien, ya sea salud, felicidad o suministro.

Uno de mis alumnos me pidió que le explicara la frase "la oscuridad siempre es peor antes del amanecer". Me referí en un capítulo anterior al hecho de que todo parece empeorar antes de la gran manifestación y una profunda depresión nubla la conciencia. Significa que del subconsciente surgen las dudas y los miedos de siempre. Estos viejos abandonos del subconsciente suben a la superficie para ser apagados. Es entonces cuando el hombre debe batir sus tambores, como Josafat, y dar gracias porque se ha salvado aunque parezca estar rodeado por el enemigo (la situación de carencia o enfermedad). El estudiante preguntó cuánto tiempo debía uno permanecer en la oscuridad, a lo que respondí que debía ser hasta que uno pudiera ver a través de ella, y cuando uno delega la carga, lo puede lograr.

La fe activa es esencial para impresionar al subconsciente. La fe sin obras está muerta, y en estos capítulos me he esforzado por poner de manifiesto este punto. Jesucristo mostró una fe activa cuando le ordenó a la multitud que se sentara en el suelo antes de dar gracias por los panes y los peces. Daré otro ejemplo que muestra lo necesario que es este paso. De hecho, la fe activa es el puente por el que el hombre pasa a su tierra prometida.

Una mujer se había separado de su marido, al que amaba profundamente, por un malentendido. Él rechazó todas las ofertas de reconciliación y no quiso comunicarse con ella de ninguna manera. Al llegar al conocimiento de la ley espiritual, ella negó la apariencia de la separación e hizo la declaración de que no existe separación en la mente divina y, por lo tanto, no podía estar separada del amor y la compañía que eran suyos por derecho divino.

Demostró una fe activa disponiendo un lugar para él en la mesa todos los días, impresionando así el subconsciente con una imagen de su regreso. Pasó más de un año, pero ella nunca vaciló, y un día él finalmente volvió.

El subconsciente se impresiona a menudo a través de la música. Tiene una cualidad de cuarta dimensión y libera al alma de su encierro, hace que las cosas maravillosas parezcan posibles y fáciles de realizar. Tengo una amiga que usa su viejo tocadiscos diariamente para este propósito, la pone en perfecta armonía y libera la imaginación. Otra mujer suele bailar mientras hace sus afirmaciones. El ritmo y la armonía de la música y el movimiento llevan sus palabras con tremendo poder. El estudiante también debe recordar el no despreciar las pequeñas señales. Invariablemente, antes de una manifestación, llegarán ciertas señales. Antes de que Colón llegara a América vio pájaros y ramitas que le indicaban que la tierra estaba cerca. Lo mismo ocurre con una demostración, pero a menudo el estudiante la confunde con la propia imaginación, y se decepciona.

Una mujer había manifestado una vajilla. Poco después una amiga le regaló un plato viejo y agrietado y vino a verme para confesar que estar decepcionada. Había pedido una vajilla y lo único que tenía ahora era este plato casi roto. Yo le contesté que el plato era simplemente la primera señal que le demostraba que la vajilla estaba por llegar, y le sugerí que lo viera como los pájaros y ramas que había visto Colón. Sus platos nuevos no tardaron en llegar. Hacer creer continuamente impresiona al subconsciente. Si uno imagina creyendo que es rico e imagina creyendo que tiene éxito, cosechará a su debido tiempo. Los niños siempre están imaginando: "si no os convertís y os hacéis como niños, no entraréis en el reino de los cielos."

Por ejemplo, sé de una mujer que era muy pobre, pero nadie lograba hacer que se sintiera pobre. Ganaba una pequeña cantidad de dinero gracias a unos amigos ricos que le recordaban constantemente su pobreza, y sugerían que tuviera cuidado y ahorrara. A pesar de sus advertencias, se gastaba todo lo que ganaba en un sombrero o le hacía un regalo a alguien, y se encontraba en un estado de ánimo exultante. Sus pensamientos se centraban siempre en la ropa bonita, los anillos y demás accesorios, pero sin envidiar a los demás. Vivía en el mundo de lo maravilloso, y sólo las riquezas le parecían reales. Al poco tiempo se casó con un hombre rico y los anillos y las demás cosas lujosas se hicieron visibles. No sé si el hombre era su selección divina, pero la opulencia tenía que manifestarse en su vida, ya que ella sólo se había imaginado en opulencia.

No habrá paz ni felicidad para el hombre hasta que haya borrado todo el miedo del subconsciente. El miedo es una energía mal dirigida y debe ser transmutada en Fe. Jesucristo dijo: "¿Por qué tenéis miedo, oh vosotros de poca fe?", "Todo es posible para el que cree". Mis alumnos me preguntan muy a menudo cómo pueden librarse del miedo, y les respondo que la mejor forma es acercarse a lo que les da miedo.

"El león toma su fiereza de tu miedo". Acércate al león y desaparecerá; huye y él correrá detrás de ti. En capítulos anteriores he mostrado cómo el león de la carencia desaparecía cuando el individuo gastaba el dinero sin miedo, mostrando fe en que Dios era su suministro, y por lo tanto era infalible. Muchos de mis alumnos han salido de la esclavitud de la pobreza y ahora, después de perder todo el miedo a dejar salir el dinero, están abundantemente abastecidos. El subconsciente está impresionado con la verdad de que Dios es el dador y el don; por lo tanto, como uno es uno con el dador, es uno con el don. Esta es una declaración espléndida: "ahora agradezco a Dios el dador por Dios, el regalo".

Durante mucho tiempo el hombre se ha separado de su bien y de su suministro a través de pensamientos de separación y carencia, y a veces se necesita dinamita para desalojar estas falsas ideas del subconsciente. A veces la dinamita es tan solo una situación. En el ejemplo anterior vemos cómo el individuo se liberó de su esclavitud mostrando intrepidez. El hombre debe vigilarse a sí mismo cada hora para detectar si su motivo de acción es el miedo o la fe. Escoged hoy a quién serviremos, al miedo o a la fe.

Tal vez el miedo de uno sea a la personalidad. Entonces no hay que evitar a las personas a quienes tememos; hay que estar dispuesto a encontrarlas alegremente y ellas resultarán ser eslabones de oro en la cadena de nuestro bien, o desaparecerán armoniosamente de nuestro camino. Tal vez el miedo sea a la enfermedad o a los gérmenes. En ese caso, uno debería permanecer sin miedo y sin molestias en una situación cargada de gérmenes, y sería inmune. Uno sólo puede contraer gérmenes mientras vibra al mismo ritmo que el germen, y el miedo arrastra al hombre al nivel vibracional del germen. Por supuesto, el germen cargado de enfermedades es el producto de la mente carnal, como todo pensamiento debe objetivar. Los gérmenes no existen en el superconsciente o la mente divina, por lo tanto, son el producto de la vana imaginación del hombre. La liberación del hombre llegará en un abrir y cerrar de ojos, cuando se dé cuenta de que no hay poder en el mal. El mundo material se desvanecerá, y el mundo de la cuarta dimensión, el mundo de lo maravilloso, entrará en manifestación. "Y vi un nuevo cielo y una nueva tierra; y ya no habrá muerte, ni habrá llanto ni clamor, ni habrá más dolor, porque las primeras cosas ya han pasado".

Amor

Todos los hombres de este planeta se inician en el amor. "Un nuevo mandamiento os doy: que os améis unos a otros". Ouspensky afirma, en su libro Tertium organum, "El amor es un fenómeno cósmico y abre al hombre el mundo de la cuarta dimensión, el mundo de lo maravilloso".

El verdadero amor es desinteresado y está libre de miedo. Se derrama sobre el objeto de su afecto sin exigir nada a cambio y su alegría está en la alegría de dar. El amor es Dios en manifestación y la fuerza magnética más fuerte del universo. El amor puro y desinteresado atrae a los suyos; no necesita buscar ni exigir. Casi nadie tiene la más mínima idea de lo que es el verdadero amor. El hombre es egoísta, tirano o temeroso en sus afectos, perdiendo así lo que ama. Los celos son el peor enemigo del amor, pues la imaginación se desboca al ver al ser amado atraído por otro, e invariablemente estos temores, si no se neutralizan, se materializan.

Una mujer acudió a mí muy angustiada. El hombre al que amaba la había dejado por otras mujeres, y decía que nunca había tenido intención de casarse con ella. Ella estaba desgarrada por los celos y el resentimiento y dijo que esperaba que él sufriera tanto como la había hecho sufrir a ella, cuestionándose cómo podía haberla dejado si lo amaba tanto. La hice reconsiderar afirmándole que no lo amaba sino que, más bien, lo odiaba, y que nunca podría recibir lo que no había dado. Si uno da amor perfecto, uno recibe amor perfecto, y ella podía perfeccionar a este hombre. Le dije que le ofreciera un amor perfecto y desinteresado, sin exigir nada a cambio, sin críticas ni condenas, y que lo bendijera sin importar dónde estuviera.

Respondió que no lo bendeciría si no sabía dónde estaba, y le aclaré que ese no era un amor verdadero, y que solo cuando enviara amor real, el amor real volvería a ella, ya fuera de este hombre o de su equivalente. Además, si este hombre no era su selección divina, no querría conservarlo. Cuando somos uno con Dios, somos uno con el amor que nos pertenece por derecho divino. Pasaron varios meses y las cosas seguían más o menos igual, pero ella trabajaba concienzudamente consigo misma. Le dije que cuando ya no le molestara su crueldad, él dejaría de ser cruel, ya que lo estaba atrayendo a través de sus propias emociones.

Luego le hablé de una hermandad en la India que había reemplazado los buenos días con la frase "saludo a la divinidad que hay en ti". Saludaban a la divinidad en cada hombre y en los animales salvajes de la selva, a quienes nunca hacían daño, porque sólo veían a Dios en cada ser vivo. Le pedí que saludara a la divinidad en este hombre y repitiera "sólo veo a tu ser divino. Te veo como Dios te ve, perfecto, hecho a su imagen y semejanza". Se dio cuenta de que se estaba volviendo más equilibrada, y que poco a poco perdía su resentimiento. Él era un capitán, y ella le apodaba "capi". Un día, de repente y sin mucho pensarlo, dijo "que Dios bendiga al capi, donde quiera que esté". Le afirmé que ese sí era amor de verdad, y que cuando hubiese cerrado el círculo y ya no le molestara esa situación, tendría su amor o atraería un equivalente.

En ese momento me estaba mudando y no tenía teléfono, por lo que estuve sin contacto con ella durante unas semanas. Poco después recibí una carta en la que me comentaba que se habían casado. La llamé en cuanto pude para que me contara qué había pasado, y me dijo que un día se había despertado sin sufrimiento alguno, y que esa misma noche él le había pedido matrimonio. Se habían casado una semana más tarde, y el parecía ser el hombre más devoto. Hay un viejo dicho que reza "ningún hombre es tu enemigo, ningún hombre es tu amigo, todos los hombres son tus maestros".

Uno debe volverse impersonal y aprender lo que cada persona tiene que enseñarnos, y pronto aprenderemos sus lecciones y seremos libres. El amante de la mujer le estaba enseñando el amor desinteresado que todo hombre, tarde o temprano, debe aprender. El sufrimiento no es necesario para el desarrollo del hombre; es el resultado de la violación de la ley espiritual, pero pocas personas parecen capaces de despertar de su sueño del alma sin él.

A veces las personas que son felices se vuelven egoístas, y esto activa la ley del karma en automático. El hombre suele sufrir pérdidas porque no aprecia lo que tiene. Conocí a una mujer que tenía un marido muy agradable. Ella repetía que, a pesar de que se llevaban bien, a ella no le interesaba estar casada. Tenía otros intereses, apenas se acordaba de que tenía un marido y sólo pensaba en él cuando lo veía.

Un día su marido le dijo que estaba enamorado de otra mujer y la dejó. Acudió a mí angustiada y resentida, y yo le dije que era la consecuencia de lo que ella había repetido incesantemente. Había impresionado a su subconsciente con la idea de que no le gustaba estar casada, y ese había sido el resultado.

—Ahora entiendo— me dijo—. La gente consigue lo que quiere y luego se siente muy perjudicada.

Pronto se puso en perfecta armonía con la situación, y supo que ambos eran mucho más felices separados.

Cuando una mujer se vuelve indiferente o crítica y deja de ser una inspiración para su marido, éste echa de menos el estímulo de su primera relación y se siente inquieto e infeliz. Un hombre vino a mí abatido, miserable y pobre. Su mujer estaba interesada en la ciencia de los números, y le había hecho tomar una prueba. Parecía que el resultado no había resultado muy favorable, porque me comentó que su esposa estaba convencida de que no llegaría a lograr nada, pues era un número dos. Yo le dije que, sin importar cuál fuera su número, él era una idea perfecta en la mente divina, y que exigiríamos el éxito y la prosperidad que ya estaban planeados para él por esa inteligencia infinita. A las pocas semanas había logrado un puesto muy bueno, y uno o dos años más tarde logró un éxito brillante como escritor.

Ningún hombre tiene éxito en los negocios si no ama su trabajo. El cuadro que el artista pinta por amor (a su arte) es su mejor obra. Hay que ser congruentes, ningún hombre puede atraer el dinero si lo desprecia. Muchas personas se mantienen en la pobreza al repetir que el dinero no significa nada para ellos y que sienten desprecio por la gente que lo tiene. Esta es la razón por la que muchos artistas son pobres; su desprecio por el dinero les separa de él. Recuerdo haber oído a un artista criticar a un colega diciendo que no consideraba que fuera bueno porque tenía dinero guardado en el banco. Esta actitud mental, por supuesto, separa al hombre de su suministro; se debe estar en armonía con una cosa para atraerla.

El dinero es Dios en su manifestación, como libertad de la carencia y la limitación, pero debe mantenerse siempre en circulación y destinarse a usos correctos. El acaparamiento y el ahorro reaccionan con una sombría venganza. Esto no significa que el hombre no deba tener casas y lotes, acciones y bonos, pues "los graneros del justo estarán llenos". Significa que, si se presenta una ocasión en la que el dinero sea necesario, el hombre no debe atesorar ni siquiera el capital primario. Al dejar que fluya sin miedo y con alegría, abre el camino para que entre más, porque Dios es el suministro infalible e inagotable del hombre. Esta es la actitud espiritual hacia el dinero, y el gran banco de lo universal nunca falla.

Vemos un ejemplo de acaparamiento en la producción cinematográfica "Avaricia". La mujer ganó cinco mil dólares en la lotería pero no quiso gastarlos. Acumuló y ahorró, dejó que su marido sufriera y pasara hambre y ella trabajaba limpiando pisos. Amaba el dinero en sí mismo y lo ponía por encima de todo, hasta que una noche fue asesinada y le quitaron el dinero. Este es un ejemplo claro que nos demuestra que el amor al dinero es la raíz de todos los males. El dinero en sí mismo es bueno y beneficioso, pero utilizado con fines destructivos, acaparado y guardado, o considerado más importante que el amor, trae enfermedades, desastres y la pérdida del propio dinero.

Sigue el camino del amor, y todas las cosas se suman, porque Dios es amor, y Dios es suministro; sigue el camino del egoísmo y la avaricia, y el suministro desaparece, o el hombre se separa de él. Por ejemplo, conocí el caso de una mujer muy rica que acaparaba sus ingresos y rara vez regalaba algo. Compraba y compraba y compraba cosas para sí misma, era muy aficionada a los collares y una amiga le preguntó una vez cuántos poseía. Ella respondió que tenía sesenta y siete. Los compró y los guardó, cuidadosamente envueltos en papel de seda. Si hubiera usado los collares su deseo habría sido muy legítimo, pero estaba violando la ley del uso. Sus armarios estaban llenos de ropa que nunca usaba y de joyas que nunca veían la luz. Los brazos de la mujer se fueron paralizando de tanto aferrarse a las cosas, finalmente se la consideró incapaz de ocuparse de sus asuntos y su riqueza fue entregada a otros para que la administraran.

Así, el hombre, ignorando la ley, provoca su propia destrucción. Toda enfermedad y toda infelicidad proviene de la violación de la ley del amor. Los boomerangs de odio, resentimiento y crítica del hombre vuelven cargados de enfermedad y dolor. El amor parece casi un arte perdido, pero el hombre con el conocimiento de la ley espiritual sabe que debe ser recuperado, porque sin él se convierte en bronce opaco y címbalos que tintinean. Por ejemplo, tuve una alumna que acudía a mí, mes tras mes, para limpiar su conciencia de resentimientos. Después de un tiempo llegó al punto en que ya sólo estaba resentida con una sola mujer, pero esa única mujer la mantenía ocupada. Poco a poco se fue equilibrando y armonizando, y un día se borró todo resentimiento. Llegó a visitarme, se veía radiante y exclamó que se sentía fantástica. La mujer le había dicho algo, pero en lugar de enfurecer había respondido de forma cariñosa y amable, y su interlocutora se disculpó y fue perfectamente encantadora con ella. Me afirmó que nadie podría entender la maravillosa ligereza que sentía en su interior.

El amor y la buena voluntad tienen un valor incalculable en los negocios. Una mujer vino a verme, quejándose de su jefa. Dijo que era fría y crítica y que sabía que no la quería en el puesto.

—Bueno— le respondí—. Saluda a la divinidad en la mujer y envíale amor.

—No puedo— me respondió. Es una mujer de mármol.

—¿Te acuerdas de la historia del escultor que pidió un determinado trozo de mármol?— pregunté—. Lo cuestionaron acerca de su elección y él respondió que dentro de ese trozo había un ángel escondido que el tallaría para que todos lo admiraran.

—Muy bien, lo intentaré— dijo confiada.

Una semana después me confesó que había hecho lo que le dije, que la jefa ahora era muy amable y la trasladaba en su vehículo cuando lo necesitaba.

A veces las personas se llenan de remordimientos por haber hecho un mal a alguien, incluso los que han hecho muchos años atrás. Si el mal no puede ser corregido, su efecto puede ser neutralizado siendo amables con alguien en el presente. Esto es lo que hago: olvidarme de lo que queda atrás y extenderme hacia lo que está delante. La pena, el arrepentimiento y el remordimiento desgarran las células del cuerpo y envenenan la atmósfera del individuo. Una mujer me pidió, muy apenada, que la ministrara para ser feliz y alegre, porque su pena la ponía tan irritable con los miembros de su familia, que seguía creando más karma.

Me pidieron que tratara a una mujer que estaba de luto por su hija. Yo negué toda creencia en la pérdida y la separación, y afirmé que Dios era la alegría, el amor y la paz de la mujer. La mujer recobró enseguida su aplomo, pero me mandó a decir con su hijo que no la tratara más porque estaba tan feliz, que su actitud no se veía bien frente a la sociedad. A la mente mortal le encanta aferrarse a sus penas y remordimientos.

Conocí a una mujer que iba presumiendo de sus problemas, por lo que siempre tenía algo de lo que presumir. La antigua idea era que, si una mujer no se preocupaba por sus hijos, no era una buena madre. Ahora sabemos que el miedo materno es responsable de muchas de las enfermedades y accidentes que llegan a la vida de los niños porque el miedo imagina vívidamente la enfermedad o la situación temida, y estas imágenes, si no se neutralizan, se materializan. Feliz es la madre que puede decir, con sinceridad, que pone a su hijo en las manos de Dios y sabe, por lo tanto, que está divinamente protegido.

Cierta mujer se despertó de repente, sintiendo que su hermano estaba en gran peligro. En lugar de ceder a sus temores comenzó a hacer declaraciones de la verdad, diciendo "el hombre es una idea perfecta en la mente divina, y siempre está en su lugar correcto, por lo tanto, mi hermano está en su lugar correcto, y está divinamente protegido". Al día siguiente descubrió que su hermano había estado muy cerca de una explosión en una mina, pero había escapado milagrosamente.

El hombre es el guardián de su hermano (en pensamiento) y todo hombre debe saber que lo que ama habita en el lugar secreto del Altísimo, bajo la sombra del Todopoderoso". "No te sucederá ningún mal, ni ninguna plaga se acercará a tu morada". "El que teme no se perfecciona en el amor", y "el amor es el cumplimiento de la ley".

CAPÍTULO OCHO

Intuición o guía

"En todos tus caminos, reconócelo; Él dirigirá tus caminos". No hay nada demasiado grande para el hombre que conoce el poder de su palabra y sigue sus indicaciones intuitivas. Mediante la palabra pone en acción fuerzas invisibles y puede reconstruir su cuerpo o remodelar sus asuntos. Por lo tanto, es de suma importancia elegir las palabras correctas, y el estudiante selecciona cuidadosamente la afirmación que desea catapultar a lo invisible. Sabe que Dios es su suministro, que hay un suministro para cada demanda, y que su palabra hablada libera este suministro. Pedid y recibiréis. El hombre debe dar el primer paso. Acercaos a Dios y Él se acercará a vosotros.

A menudo me han preguntado cómo hacer una materialización. Yo les respondo que deben hablar las palabras y luego esperar y no hacer nada hasta que tengan una pista definitiva. Exijan la pista diciendo: "Espíritu infinito, revélame el camino, hazme saber si hay algo que deba hacer". La respuesta vendrá a través de la intuición (o corazonada); un comentario casual de alguien, o un pasaje de un libro, etc. A veces las respuestas son sorprendentemente exactas. Había una mujer que deseaba una gran suma de dinero y pronunció las palabras "espíritu infinito, abre el camino para mi suministro inmediato, haz que todo lo que es mío por derecho divino me llegue ahora, en grandes avalanchas de abundancia. Dame una pista definitiva, hazme saber si hay algo que deba hacer.

El pensamiento le llegó con rapidez, sugiriéndole que le diera a cierta amiga suya (que la había ayudado espiritualmente) la cantidad de cien dólares. Ella le contó este mensaje a una amiga, quien le sugirió que esperara un poco a recibir otra pista antes de dárselos. Esperó, y ese mismo día conoció a una mujer que le dijo que le había dado un dólar a alguien, y que, comparado con su situación económica, era como si ella le diera cien a otra persona. Esta era, en efecto, una pista inequívoca, por lo que supo que tenía razón al dar los cien dólares. Fue un regalo que resultó ser una gran inversión, ya que poco después le llegó una gran suma de dinero de forma extraordinaria.

Dar abre el camino para recibir. Para crear actividad en las finanzas, uno debe dar. Diezmar o dar una décima parte de los ingresos de uno es una antigua costumbre judía, y es seguro que traerá aumento. Muchos de los hombres más ricos de este país han sido diezmadores, y nunca he sabido que haya fallado como inversión. La décima parte sale y regresa bendecida y multiplicada, pero la dádiva o el diezmo debe darse con amor y alegría, porque Dios ama al dador alegre. Las cuentas deben pagarse alegremente; todo el dinero debe enviarse sin temor y con una bendición. Esta actitud mental hace al hombre dueño del dinero, le corresponde obedecer, y su palabra abre entonces vastos depósitos de riqueza.

El hombre, por sí mismo, limita su suministro por su visión limitada. A veces el estudiante tiene una gran comprensión de la riqueza, pero tiene miedo de actuar. La visión y la acción deben ir de la mano, como en el caso del hombre que compró el abrigo de piel.

Una mujer vino a pedirme que la predicara para que consiguiera un cierto empleo, así que pedí "Espíritu infinito, abre el camino para la posición correcta de esta mujer". No debe pedirse simplemente un puesto, hay que especificar el puesto correcto, el lugar ya planeado en la mente divina, pues es el único que dará satisfacción. Entonces di las gracias porque ella ya lo había recibido, y porque se manifestaría rápidamente. Muy pronto le ofrecieron tres puestos, dos en Nueva York y uno en Palm Beach, y no sabía cuál elegir, a lo que sugerí que pidiera una pista definitiva. Ya había llegado el tiempo requerido para decidir y aún no sabía cuál escoger, hasta que un día me llamó por teléfono para decirme que esa misma mañana, al levantarse, había percibido un aroma que inmediatamente asoció con Palm Beach. Había estado allí antes y conocía su agradable fragancia. Le dije que, si podía oler Palm Beach desde tan lejos, sin duda es una pista. Aceptó el puesto y resultó ser un gran éxito. A menudo, el liderazgo llega en un momento inesperado.

Un día iba caminando por la calle cuando de repente sentí el fuerte impulso de ir a cierta panadería, a una o dos manzanas de distancia. La mente razonadora se resistió, argumentando que realmente no tenía nada a qué ir. Sin embargo, había aprendido a no razonar, así que fui a la panadería, miré todo, y ciertamente no había nada allí que yo quisiera. Al salir me encontré con una mujer en la que había pensado a menudo, y que estaba muy necesitada de la ayuda que yo podía darle. A menudo uno va a por una cosa y encuentra otra. La intuición es una facultad espiritual y no explica, simplemente señala el camino. Suele suceder que la persona recibe el mensaje durante su ministración y la idea le parezca bastante irrelevante, pero algunas de las pistas de Dios son misteriosas.

Durante una de mis clases traté de que cada individuo recibiera una pista definitiva. Al terminar, una de mis alumnas me dijo que había sentido el deseo de sacar sus muebles de la bodega donde los tenía y conseguirse un apartamento. La mujer había venido a mí por razones de salud, y le dije que sabía que, al tener una casa propia, su salud mejoraría. Además, mencioné que creía que su problema, que era una congestión, se había desarrollado por tener cosas almacenadas. La congestión de las cosas causa congestión en el cuerpo. Se ha violado la ley del uso, y el cuerpo está pagando la pena. Luego procedí a dar gracias porque el orden divino se había establecido en su mente, cuerpo y asuntos.

La gente no percibe cómo actúan sus asuntos sobre el cuerpo. Hay una correspondencia mental para cada enfermedad. Una persona podría recibir una curación instantánea a través de la realización de que su cuerpo es una idea perfecta en la mente divina y, por lo tanto, completa y perfecta, pero si continúa con su pensamiento destructivo, acaparando, odiando, temiendo y condenando, la enfermedad volverá. Jesucristo sabía que toda enfermedad provenía del pecado, y amonestó al leproso después de la curación para que se fuera y no pecara más, para que no le sobreviniera algo peor.

El alma del hombre (o mente subconsciente) debe ser lavada hasta que quede más blanca que la nieve para lograr una curación permanente, y el metafísico siempre está hurgando en lo profundo para aportar la correspondencia. Jesucristo dijo: "No condenéis para que no seáis también condenados". "No juzguéis, para que no seáis juzgados". Muchas personas han atraído la enfermedad y la infelicidad por condenar a los demás, y lo que el hombre condena en otros, lo atrae para sí mismo.

Una amiga vino a verme enfadada y angustiada porque su marido la había abandonado por otra mujer. Condenó a la otra mujer y repetía continuamente que sabía que era un hombre casado, y que no tenía derecho a aceptar sus atenciones.

Yo le dije que dejara de condenar a la mujer, que la bendijera y terminara con la situación porque, de lo contrario, estaría atrayendo lo mismo para sí. Ella hizo oídos sordos a mis palabras y uno o dos años después se interesó profundamente por un hombre casado. El hombre sujeta un cable de energía eléctrica cada vez que critica o condena y, tarde o temprano, recibirá una descarga.

La indecisión es un obstáculo en muchos caminos. Para superarla, hagan la siguiente afirmación, repetidamente: "estoy siempre bajo inspiración directa; tomo decisiones correctas, rápidamente". Estas palabras impresionan el subconsciente y pronto uno se encuentra despierto y alerta, haciendo los movimientos correctos sin vacilar. He encontrado que es destructivo buscar orientación en el plano psíquico, ya que es el plano de muchas mentes y no de la mente única.

A medida que el hombre abre su mente a la subjetividad, se convierte en un objetivo para las fuerzas destructivas. El plano psíquico es el resultado del pensamiento mortal del hombre, y está en el plano de los opuestos. Puede recibir mensajes buenos o malos. La ciencia de los números y la lectura de los horóscopos mantienen al hombre en el plano mental (o mortal), pues sólo se ocupan del camino kármico. Conozco a un hombre que debería haber muerto hace años según su horóscopo, pero está vivo y es líder de uno de los mayores movimientos para la elevación de la consciencia humana de este país.

Se necesita una mente muy fuerte para neutralizar una profecía del mal. El estudiante debería declarar: "toda falsa profecía quedará en la nada; todo plan que mi Padre en el cielo no haya planeado, se disolverá y se disipará. La idea divina ahora se cumple". Sin embargo, si alguna vez se ha dado un buen mensaje de felicidad venidera o de riqueza, abrigadlo y esperadlo, ya que se manifestará tarde o temprano por la ley de la expectación. La voluntad del hombre debe servir para respaldar la voluntad universal. Quiero que se haga la voluntad de Dios.

La voluntad de Dios es dar a cada hombre todos los deseos justos de su corazón, y la voluntad del hombre debe ser utilizada para sostener la visión perfecta, sin vacilar. El hijo pródigo dijo: "me levantaré e iré a mi Padre". En efecto, a menudo es un esfuerzo de la voluntad dejar las cáscaras y los desperdicios del pensamiento mortal. Es mucho más fácil para la persona común tener miedo que fe; así que la fe es un esfuerzo de la voluntad.

A medida que el hombre despierta espiritualmente, reconoce que cualquier inarmonía externa es la correspondencia de una inarmonía mental. Si tropieza o cae, puede saber que está tropezando o cayendo en la conciencia. Un día, una estudiante caminaba por la calle condenando a alguien en sus pensamientos. Repetía mentalmente que cierta mujer era la más desagradable de la tierra cuando de repente tres niños exploradores se precipitaron al doblar la esquina y casi la derriban. Ella no condenó a los niños exploradores, sino que inmediatamente invocó la ley del perdón y saludó a la divinidad de la mujer. El camino de la sabiduría es un camino agradable, y todos están llenos de paz.

Uno debe estar preparado para las sorpresas cuando ha planteado sus exigencias a lo universal. Puede parecer que todo va mal, cuando en realidad va bien. Por ejemplo, a una mujer se le dijo que no había pérdidas en la mente divina, por lo tanto, no podía perder nada que le perteneciera; cualquier cosa perdida le sería devuelta, o recibiría su equivalente. Varios años antes había perdido dos mil dólares. Había prestado el dinero a un pariente en vida, pero éste había fallecido sin dejar constancia de ello en su testamento. La mujer estaba resentida y enfadada porque no tenía ninguna declaración escrita de la transacción, por lo que nunca recibió el dinero. Sin embargo, decidió negar la pérdida y cobrar los dos mil dólares del "banco universal".

Tuvo que empezar por perdonar a la mujer, ya que el resentimiento y la falta de perdón cierran las puertas de este maravilloso banco, y declaró que negaba la pérdida porque no hay pérdida en la mente divina y, por lo tanto, no podía perder los dos mil dólares que le pertenecían por derecho divino. Cuando una puerta se cierra, otra se abre. Vivía en una casa de apartamentos que estaba en venta, y en el contrato de arrendamiento había una cláusula en la que se establecía que, si la casa se vendía, los inquilinos debían mudarse en un plazo de noventa días. A los pocos días el propietario rehizo el contrato de alquiler y subió la renta.

Una vez más la injusticia se cruzaba en su camino, pero esta vez no se inmutó. Bendijo al casero y declaró que, como el alquiler había subido, eso significaba que sería mucho más rica, pues Dios era su proveedor. Se hicieron nuevos contratos de arrendamiento por el alquiler adelantado, pero por algún error divino se olvidó la cláusula de los noventa días. Poco después el propietario tuvo la oportunidad de vender la casa y, debido al error en los nuevos contratos, los inquilinos podrían mantener la posesión durante un año más. El agente ofreció doscientos dólares a cada inquilino si desalojaban y varias familias se mudaron, pero ella y otras dos familias se quedaron. Pasaron uno o dos meses y el agente volvió a aparecer. Le ofreció a la mujer que, si rompía el contrato de renta, le daría mil quinientos dólares, y ella inmediatamente pensó que esta era su forma de recuperar los dos mil dólares perdidos. Recordó haber dicho a sus vecinos que actuarían todos bajo la misma oferta, así que fue a consultarlo con ellos.

Sus vecinos dijeron que, si le habían ofrecido mil quinientos, seguro le darían los dos mil. Así fue, recibió un cheque de dos mil dólares por dejar el apartamento. Este es un ejemplo formidable de cómo funciona la ley, la aparente injusticia no hizo más que abrir el camino para su demostración. Demostró que no hay pérdida, y que cuando el hombre toma su posición espiritual, recoge todo lo que es suyo de este gran depósito del bien.

"Te devolveré los años que las langostas han comido". Las langostas son las dudas, los miedos, los resentimientos y los remordimientos del pensamiento mortal. Estos pensamientos adversos, por sí solos, roban al hombre; porque ningún hombre se da a sí mismo sino a sí mismo, y ningún hombre se quita a sí mismo, sino a sí mismo. El hombre está aquí para probar a Dios y dar testimonio de la verdad, y sólo puede probar a Dios sacando la abundancia de la carencia, y la justicia de la injusticia. "Pónganme a prueba en esto y vean si no abro las ventanas del cielo para derramar sobre ustedes una lluvia de bendiciones hasta que les sobre de todo" (Malaquías 3:10).

CAPÍTULO NUEVE

Perfecta autoexpresión del diseño divino

"Ningún viento puede desviar mi barca ni cambiar la marea del destino". Hay, para cada hombre, la perfecta auto-expresión. Hay un lugar que debe llenar que nadie más puede llenar, algo que debe hacer que nadie más puede hacer. ¡Es su destino! Este logro se mantiene como una idea perfecta en la mente divina, esperando el reconocimiento del hombre. Como la facultad de imaginar es la facultad creadora, es necesario que el hombre vea la idea antes de que pueda manifestarse. Así, la más alta demanda del hombre es el diseño divino de su vida. Puede que no tenga la más mínima idea de lo que es, porque posiblemente haya algún talento maravilloso escondido en lo más profundo de su ser. Su demanda debería ser la siguiente: espíritu Infinito, abre el camino para que se manifieste el diseño divino de mi vida; deja que el genio que hay en mí se libere ahora; déjame ver claramente el plan perfecto.

El plan perfecto incluye la salud, la riqueza, el amor y la autoexpresión perfecta. Este es el enmarque de la vida que trae la felicidad perfecta. Cuando uno ha hecho esta demanda podrá ver grandes cambios en su vida, porque casi todos los hombres se han alejado del diseño divino. Sé que, en el caso de cierta mujer, fue como si un ciclón hubiera golpeado su vida, pero los reajustes llegaron rápidamente y nuevas y maravillosas condiciones ocuparon el lugar de las antiguas. La auto-expresión perfecta nunca será un trabajo, sino que tendrá un interés tan absorbente que parecerá casi un juego. El estudiante sabe, además, que cuando el hombre venga al mundo financiado por Dios, el suministro necesario para su perfecta autoexpresión estará a mano.

Muchos genios han luchado durante años con el problema del suministro, cuando su palabra y su fe habrían liberado rápidamente los fondos necesarios. Por ejemplo, un día después de mi clase uno de mis alumnos acercó y me dio un centavo.

— Sólo tengo siete centavos en el mundo, y te voy a dar uno porque tengo fe en el poder de tu palabra hablada. Quiero que profetices perfecta auto-expresión y prosperidad para mi.

Yo profeticé y no volví a verlo hasta un año después. Volvió un día, exitoso y feliz, con un rollo de billetes en el bolsillo.

—Inmediatamente después de que usted profetizara me ofrecieron un puesto en una ciudad lejana, y ahora estoy lleno de salud, felicidad y abastecimiento.

La autoexpresión perfecta de una mujer puede estar en convertirse en una esposa perfecta, una madre perfecta, una perfecta ama de casa y no necesariamente en tener una carrera pública. Exijan pistas definidas, y el camino se hará fácil y exitoso.

Uno no debe visualizar o forzar una imagen mental. Cuando exija que el diseño divino entre en su mente consciente recibirá destellos de inspiración, y comenzará a verse a sí mismo realizando algún gran logro. Esta es la imagen o idea que debe mantener sin vacilar. Lo que el hombre busca lo busca a él: ¡el teléfono buscaba a Bell!

Los padres nunca deben forzar carreras y profesiones en sus hijos. Con un conocimiento de la verdad espiritual se podría hablar del plan divino desde la infancia, o incluso prenatalmente. Un decreto prenatal debería ser: "que el Dios en ese niño próximo a nacer tenga una expresión perfecta; que el diseño divino de su mente, cuerpo y asuntos se manifieste a lo largo de su vida y a lo largo de la eternidad".

Que se haga la voluntad de Dios, no la del hombre; el modelo de Dios, no el del hombre, es el mandato que encontramos en todas las escrituras, y la Biblia es un libro que trata de la ciencia de la mente. Es un libro que le dice al hombre cómo liberar su alma (o mente subconsciente) de la esclavitud. Las batallas descritas son imágenes del hombre haciendo la guerra contra los pensamientos mortales. Los enemigos del hombre serán los de su propia casa. Todo hombre es Josafat, y todo hombre es Davidque mata a Goliat (pensamiento mortal) con la piedrita blanca (fe). Así que el hombre debe tener cuidado de no ser el siervo malo y perezoso que enterró su talento, pues hay un terrible castigo por no utilizar la propia capacidad.

A menudo el miedo se interpone entre el hombre y su perfecta expresión. El miedo al escenario ha obstaculizado a muchos genios, pero esto puede ser superado por la palabra habladao la profetización. El individuo pierde entonces toda conciencia de sí mismo, y siente simplemente que es un canal para que la inteligencia infinita se exprese a través de él. Está bajo inspiración directa, sin miedo y con confianza, porque siente que es el Padre interior quien hace el trabajo.

Había un joven que venía a mi clase con su madre para pedirme que le ministrara para prepararlo para sus próximos exámenes en la escuela. Le dije que declarara ser uno con la inteligencia infinita y que repitiera que sabía todo lo que necesitaba saber sobre este tema. Tenía un excelente conocimiento de la historia, pero no estaba seguro de la aritmética. Le vi después y me dijo que había profetizado para sus exámenes de aritmética y había aprobado con los más altos honores, pero que se había atenido al hacer sus exámenes de historia pensando que podía depender de sí mismo, y obtuvo una muy mala calificación. El hombre suele recibir un revés cuando está demasiado seguro de sí mismo, lo que significa que confía en su propia personalidad y no en el Padre interior.

Otra de mis alumnas me dio un ejemplo de esto. Un verano hizo un largo viaje al extranjero donde visitó muchos países y desconocía el idioma. Ella pedía guía y protección a cada minuto, y sus asuntos se desarrollaron sin problemas y de forma milagrosa. Su equipaje nunca se retrasó ni se perdió, su alojamiento siempre estaba listo y la atendían maravillosamente a dondequiera que fuera. Volvió a Nueva York y, conociendo el idioma, sintió que Dios ya no era necesario, así que se ocupó de sus asuntos de manera ordinaria. Ahí fue cuando todo empezó a salir mal. Se atrasó su equipaje y llegó en medio de la inarmonía y la confusión. El estudiante debe formarse el hábito de practicar la presencia de Dios a cada minuto. "En todos tus caminos, reconócelo"; nada es demasiado pequeño ni demasiado grande.

A veces un incidente insignificante puede ser el punto de inflexión en la vida de un hombre. Robert Fulton desarrolló un barco de vapor observando un poco de agua hirviendo en una tetera. A menudo veo a mis alumnos detener sus materializaciones a través de la resistencia o señalando el camino. Fijan su fe en un solo canal y dictan justo la forma en que desean que la manifestación llegue, lo que hace que las cosas se paralicen. ¡A mi manera, no a la tuya! es el mandato de la inteligencia infinita. Todo poder, ya sea vapor o electricidad, debe tener un motor o instrumento no resistente para trabajar, y el hombre es ese motor o instrumento.

Una y otra vez se le dice al hombre que se quede quieto. "Oh Judá, no temas; pero mañana sal contra ellos, porque el Señor estará contigo. No tendréis necesidad de librar esta batalla; poneos, estad quietos, y ved la salvación del Señor con vosotros". Vemos esto en los incidentes de los dos mil dólares que le llegaron a la mujer a través del casero cuando ella dejó de oponer resistencia y se mostró imperturbable, y la mujer que ganó el amor del hombre después de que todo el sufrimiento que había atravesado.

La meta del estudiante es el aplomo. El aplomo es poder, porque le da la oportunidad al poder de Dios de infiltrar al hombre para que desee y haga su buena voluntad. Quien tiene aplomo piensa con claridad y toma decisiones correctas rápidamente, no se le escapa ninguna pista. La ira nubla las visiones, envenena la sangre, es la raíz de muchas enfermedades y provoca decisiones erróneas que conducen al fracaso. Se le ha llamado uno de los peores pecados, ya que su reacción es muy dañina. El estudiante aprende que, en la metafísica, el pecado tiene un significado mucho más amplio que en la antigua enseñanza. "Todo lo que no es de fe, es pecado". Descubre que el miedo y la preocupación son pecados mortales. Son fe invertida que, a través de imágenes mentales distorsionadas, hacen que ocurra lo que teme. Su trabajo es expulsar a estos enemigos (de la mente subconsciente). ¡Cuando el hombre no tiene miedo está acabado! "El hombre es temeroso de Dios", dice Maeterlinck.

Así que, como hemos leído en los capítulos anteriores, el hombre sólo puede vencer el miedo acercándose a lo que teme. Cuando Josafat y su ejército se prepararon para enfrentarse al enemigo cantando "alabado sea el Señor porque su misericordia es eterna", se encontraron con que sus enemigos se habían destruido mutuamente, y no había nada que combatir. Una mujer pidió a una amiga que le entregara un mensaje a otra amiga. La mujer temía dar el mensaje, ya que la mente razonadora decía que no se metiera en los asuntos de otras personas. Se sentía incómoda porque había dado su promesa, así que por fin decidió enfrentar la incomodidad e invocar la ley de la protección divina. Se encontró con la amiga a la que debía entregar el mensaje y abrió la boca para compartirlo, pero antes de decir palabra esta amiga le dijo que cierto amigo al que conocían se había ido de la ciudad. Esto hizo innecesario dar el mensaje, ya que la situación dependía de que esae mismo amigo estuviera en la ciudad. Como estaba dispuesta a hacerlo, no estaba obligada; y como no tenía miedo, la situación se desvaneció.

El estudiante suele retrasar su demostración por la creencia de que está incompleta. Debería hacer la afirmación de que en la mente divina sólo hay compleción, por lo tanto, su propia demostración está completa. Su trabajo es perfecto, su hogar es perfecto, su salud es perfecta. Todo lo que él exige son ideas perfectas registradas en la mente divina, y deben manifestarse bajo la gracia y de manera perfecta. Agradezcan haber recibido en lo invisible, y prepárense activamente para recibir en lo visible.

Una de mis alumnas necesitaba una materialización financiera. Vino a verme y me preguntó por qué no estaba finalizada, a lo que contesté que tal vez era porque tenía el hábito de dejar las cosas sin terminar y el subconsciente se había acostumbrado a no completar (como el exterior, así el interior). Me dijo que tenía razón, que a menudo empezaba las cosas y nunca las terminaba. Me dijo, muy resuelta, que iría a casa a terminar algo que había empezado hacía varias semanas, y que ese sería un símbolo de su materialización. Se apresuró y terminó el artículo, y poco después el dinero llegó de la manera más curiosa. Su marido cobró su sueldo dos veces ese mes, y cuando le informó de su error al departamento de contabilidad le dijeron que lo guardara. Cuando el hombre pide, creyendo, debe recibir, pues Dios crea sus propios canales.

A veces me preguntan cómo elegir entre varios

talentos, a lo que respondo que deben exigir que se les muestre claramente. Pídanle al espíritu infinito que les dé una pista definitiva, que se revele su perfecta expresión y les muestre cuál talento deben utilizar. He conocido a personas que de pronto entran en una nueva línea de trabajo y están totalmente preparadas sin siquiera haber recibido capacitación. Por lo tanto, afirmen que están totalmente equipados para el plan divino de sus vidas, y no tengan miedo de aprovechar las oportunidades. Algunas personas son dadores alegres, pero malos receptores.

Rechazan los regalos por orgullo o por alguna razón negativa, bloqueando así sus canales, e invariablemente se encuentran finalmente con poco o nada. Por ejemplo, a una mujer que había regalado mucho dinero le ofrecieron un regalo de varios miles de dólares. Sin embargo, ella se negó a aceptarlo diciendo que no lo necesitaba, y poco después sus finanzas se atascaron y contrajo una deuda por esa misma cantidad. El hombre debe recibir con gracia el pan que se le devuelve sobre el agua mansa. "Libremente habéis dado, libremente recibiréis". Siempre hay un equilibrio perfecto entre dar y recibir, y aunque el hombre debe dar sin pensar en las devoluciones, viola la ley si no acepta las que le llegan; porque todos los dones son de Dios, siendo el hombre simplemente el canal.

Nunca debe mantenerse un pensamiento de carencia sobre el dador. Por ejemplo, cuando el hombre me dio un centavo yo no sentí lástima por él, ni pensé que fuera pobre y no pudiera darme más. Lo imaginé próspero y con suministros a raudales, y fue este pensamiento el que lo atrajo. Si uno ha sido un mal receptor debe convertirse en uno bueno, aceptar lo que se le dé y abrir sus canales para recibir. El Señor ama a un receptor alegre, así como a un dador alegre.

A menudo me han preguntado por qué un hombre nace rico y sano y otro pobre y enfermo. Donde hay un efecto siempre hay una causa; no existe la casualidad

Esta pregunta se responde con la ley de la reencarnación. El hombre pasa por muchos nacimientos y muertes hasta que conoce la verdad que lo libera. Es atraído de nuevo al plano terrestre por el deseo insatisfecho, para pagar sus deudas kármicas o para cumplir su destino. El hombre que nace rico y sano ha tenido imágenes en su mente subconsciente, en su vida pasada, de salud y riqueza; y el hombre pobre y enfermo, de enfermedad y pobreza.

El hombre manifiesta, en cualquier plano, la suma total de sus creencias subconscientes. Sin embargo, el nacimiento y la muerte son leyes creadas por el hombre, pues la paga del pecado es la muerte, la caída adámica en la conciencia por la creencia en dos poderes. El hombre real, el hombre espiritual, no tiene nacimiento ni muerte. Nunca ha nacido y nunca ha muerto, como era en el principio, ahora es y siempre será. Es a través de la verdad que el hombre es liberado de la ley del karma, del pecado y de la muerte, y manifiesta al hombre hecho a Su imagen y semejanza.

La libertad del hombre viene a través del cumplimiento de su destino, trayendo a la manifestación el diseño divino de su vida. "Bien, siervo bueno y fiel. Sobre poco has sido fiel, sobre mucho te pondré. Entra en el gozo de tu señor" (Mateo 25:23).

CAPÍTULO DIEZ

Negaciones y afirmaciones

"También decretarás una cosa, y te será establecida". Todo el bien que ha de manifestarse en la vida del hombre es ya un hecho consumado en la mente divina y se libera a través del reconocimiento del hombre o de la palabra hablada. Por eso se debe tener cuidado de decretar que sólo se manifieste la idea divina, pues a menudo decreta a través de sus palabras ociosas, el fracaso o la desgracia. Por lo tanto, es de la mayor importancia redactar correctamente las propias demandas, como se dijo en un capítulo anterior.

Si uno desea un hogar, un amigo, una

posición o cualquier otra cosa buena, la demanda debe hacerse por la selección divina. Decir, por ejemplo, "espíritu Infinito, abre el camino para mi hogar correcto, mi amigo correcto, mi posición correcta. Doy gracias que ahora se manifiesta bajo la gracia de una manera perfecta". La última parte de la declaración es la más importante. Conocí a una mujer que exigió mil dólares. Poco después su hija se lesionó y recibieron una indemnización de mil dólares, pues no se había manifestado de manera perfecta. La demanda debería haber sido redactada de esta manera: "Espíritu infinito, doy gracias porque los mil dólares, que son míos por derecho divino, se liberan ahora y me llegan bajo la gracia y de manera perfecta".

A medida que uno crece en la conciencia financiera, debe exigir que las enormes sumas de dinero, que son suyas por derecho divino, le lleguen bajo la gracia, de manera perfecta. Es imposible que el hombre libere más de lo que piensa que es posible, porque uno está atado por las limitadas expectativas del subconsciente. Debe ampliar sus expectativas para poder recibir de manera más amplia. El hombre a menudo se limita a sí mismo en sus demandas. Por ejemplo: Un estudiante exigió seiscientos dólares para una fecha determinada y lo recibió. Sin embargo, poco después escuchó que había estado muy cerca de recibir mil dólares, pero solo había recibido seiscientos como resultado de su palabra. Limitaron al santo de Israel.

La riqueza es una cuestión de conciencia. Los franceses tienen una leyenda que da un ejemplo de esto: un hombre pobre caminaba por una carretera cuando se encontró con un viajero, que lo detuvo y le dijo: "Mi buen amigo, veo que eres pobre. Toma esta pepita de oro, véndela y serás rico todos tus días". El hombre se alegró de su buena fortuna y se llevó la pepita a casa. Enseguida encontró trabajo y se hizo tan próspero tan pronto, que no necesitó vender la pepita. Pasaron los años y se convirtió en un hombre muy rico. Un día se encontró con un hombre pobre en el camino, lo detuvo y le dijo: "Mi buen amigo, te daré esta pepita de oro que, si la vendes, te hará rico de por vida". El mendigo cogió la pepita, la hizo valorar y descubrió que era un simple trozo de latón pintado de dorado. Como vemos, el primer hombre se hizo rico porque se sentía rico, gracias al simple pensamiento de que la pepita era de oro.

Todo hombre tiene en su interior una pepita de oro; es su conciencia de oro, de opulencia, la que trae la riqueza a su vida. El hombre debe comenzar por el final de su viaje al hacer sus demandas; es decir, declarar que ya ha recibido. "Antes de que llaméis os responderé". Afirmar continuamente establece la creencia en el subconsciente, y no sería necesario repetir una afirmación más de una vez si uno tuviera una fe perfecta. Uno no debe suplicar o rogar, sino dar gracias repetidamente de que ya ha recibido.

"El desierto se alegrará y florecerá como la rosa". Este regocijo que todavía está en el desierto (estado de conciencia) abre el camino para la liberación. El padrenuestro tiene forma de mandato y demanda, "danos hoy nuestro pan de cada día, y perdónanos nuestras deudas como nosotros perdonamos a nuestros deudores", y termina en alabanza "porque tuyo es el reino y el poder y la gloria, por los siglos de los siglos. Amén". "En cuanto a las obras de mis manos, mándame". Así que la oración es orden y demanda, alabanza y acción de gracias. El trabajo del estudiante está en creer que, con Dios, todo es posible.

Esto es bastante fácil de afirmar en abstracto, pero es bastante difícil cuando estamos enfrentando un problema. Por ejemplo: Una mujer necesitaba manifestar una gran suma de dinero en un plazo determinado. Ella sabía que debía hacer algo para conseguir una realización (pues la realización es la manifestación), y exigió una "pista". Estaba paseando por unos grandes almacenes cuando vio un precioso cortapapeles de esmalte rosa y sintió atracción hacia él. Pensó que no tenía un cortador de papel lo suficientemente bueno para abrir cartas que contuvieran cheques grandes e importantes, así que compró el cortapapeles que la mente razonadora habría calificado de extravagancia.

Cuando lo tuvo en la mano se vio abriendo un sobre que contenía un cheque por una cantidad muy grande, y en pocas semanas recibió el dinero. El cortapapeles rosa era su fuente de fe activa.

Se cuentan muchas historias sobre el poder del subconsciente cuando se dirige con fe, y aquí tenemos un buen ejemplo. Un hombre estaba pasando la noche en una granja cuyas ventanas estaban clavadas con madera. En medio de la noche se sintió asfixiado y se dirigió hacia una de ellas, pero no pudo abrirla. En su desesperación rompió el cristal con el puño, aspiró bocanadas de aire fresco y pasó una noche maravillosa. A la mañana siguiente descubrió que había roto el cristal de un amplio librero y que la ventana había permanecido cerrada durante toda la noche. Se había abastecido de oxígeno al simplemente pensar que había respirado oxígeno.

Cuando un estudiante comienza a materializar, nunca debe retroceder. "Que el hombre que vacile no piense que va a recibir nada del Señor". Un estudiante hizo una vez la maravillosa declaración de que, cuando le pedía algo al Padre, ponía el pie en el suelo y decía "Padre, no tomaré nada menos de lo que he pedido, sino más". El hombre nunca debe transigir. Habiendo hecho todo, debemos mantenernos firmes. Este es, a veces, el momento más difícil de la materialización. Llega la tentación de abandonar, de retroceder, de transigir.

También sirve el que sólo está de pie y espera. Las demostraciones suelen llegar a última hora porque es entonces cuando el hombre se deja llevar, es decir, deja de razonar, y la inteligencia infinita tiene la oportunidad de trabajar. Los deseos lúgubres del hombre son respondidos lúgubremente, y sus deseos impacientes son largamente demorados o violentamente cumplidos. Una mujer me preguntó por qué perdía o rompía constantemente sus gafas, y descubrimos que a menudo se decía a sí misma y a los demás que ojalá pudiera deshacerse de ellas. En poco tiempo, su impaciente deseo se vio violentamente satisfecho. Lo que ella debería haber exigido era una vista perfecta, pero lo que registró en el subconsciente fue simplemente el deseo de deshacerse de sus gafas, por lo que éstas se rompían o perdían continuamente.

Hay dos actitudes mentales que provocan la pérdida: la depreciación, como en el caso de la mujer que no apreciaba a su marido, o el miedo a la pérdida, que crea una imagen de pérdida en el subconsciente. Cuando un estudiante es capaz de soltar su problema (delegar su carga) tendrá una manifestación instantánea. Había una mujer bajo una tormenta muy fuerte cuyo paraguas se rompió por completo debido a la fuerza del viento. Estaba a punto de hacer una visita a unas personas que no conocía y no quería hacer su primera aparición con un paraguas estropeado, pero no podía tirarlo, ya que no le pertenecía. Desesperada le pidió ayuda a Dios, diciéndole que se encargara del paraguas porque no sabía qué hacer con él.

Un momento después escuchó una voz detrás de ella que le preguntaba si deseaba que le repararan el paraguas. Justo ahí, a sus espaldas, había aparecido un remendador de paraguas. Por supuesto ella respondió que sí, y el hombre arregló el paraguas mientras ella entraba en la casa para hacer una llamada. Cuando volvió, el paraguas estaba reparado. Siempre hay un reparador de en el camino del hombre cuando uno pone el paraguas (o la situación) en manos de Dios.

Uno siempre debe seguir una negación con una afirmación. Una noche me llamaron por teléfono para atender a un hombre al que nunca había visto. Aparentemente estaba muy enfermo, así que hice la afirmación negando esa aparente enfermedad. Es irreal, por lo tanto, no puede registrarse en su conciencia; este hombre es una idea perfecta en la mente divina, es sustancia pura que expresa la perfección. En la mente divina no hay tiempo ni espacio, por lo tanto, la palabra llega instantáneamente a su destino y no vuelve vacía. He tratado a pacientes en Europa y he comprobado que el resultado era instantáneo.

Me preguntan muy a menudo la diferencia

entre visualizar y visionar. Visualizar es un proceso mental gobernado por el razonamiento o la mente consciente; la visión es un proceso espiritual, gobernado por la intuición, o la mente superconsciente. El estudiante debe entrenar su mente para recibir estos destellos de inspiración y elaborar las imágenes divinas a través de pistas definidas. Cuando un hombre puede decir "deseo sólo lo que Dios desea para mí", sus falsos deseos se desvanecen de la conciencia, y el arquitecto maestro, el Dios interior, le da un nuevo conjunto de planos. El plan de Dios para cada hombre trasciende la limitación de la mente razonadora, y es siempre el marco de la vida que contiene salud, riqueza, amor y perfecta autoexpresión. Muchos hombres están construyendo un bungalow en su imaginación, cuando deberían estar construyendo un palacio.

Si un estudiante trata de forzar una demostración a través de la mente razonadora, la lleva a un punto muerto. "Yo lo aceleraré", dice el Señor. Debe actuar sólo a través de la intuición o de las pistas definitivas. Descansa en el Señor y espera pacientemente. Confía también en él, y lo hará. He visto actuar a la ley de la manera más sorprendente. Por ejemplo, tuve una estudiante declaró que era necesario que tuviera cien dólares para el día siguiente. Se trataba de una deuda de vital importancia que debía ser satisfecha, así que profeticé, declarando que el Espíritu nunca llegaba demasiado tarde y que el suministro estaba listo.

Me llamó esa misma noche para contarme el milagro. Dijo que se le ocurrió ir a su caja de seguridad en el banco para examinar unos papeles, y cuando los movió vio en el fondo de la caja un billete nuevo de cien dólares. Se quedó asombrada y dijo que estaba segura de no haberlo puesto allí, porque había revisado los papeles muchas veces. Puede que fuera una materialización, como Jesucristo materializó los panes y los peces. El hombre llegará a la etapa en que su palabra se materialice al instante. Los campos, maduros con la cosecha, se manifestarán inmediatamente, como en todos los milagros de Jesucristo. Hay un tremendo poder en el nombre de Jesucristo, es la verdad manifestada. "Todo lo que pidáis al Padre en mi nombre, os lo dará".

El poder de este nombre eleva al estudiante a la cuarta dimensión, donde se libera de todas las influencias astrales y psíquicas y se convierte en incondicional y absoluto, como Dios mismo es incondicional y absoluto. He visto muchas curaciones realizadas utilizando las palabras "en el nombre de Jesucristo". Cristo fue tanto persona como principio, y el Cristo dentro de cada hombre es su redentor y salvación. El Cristo interior es el propio yo de la cuarta dimensión, el hombre hecho a imagen y semejanza de Dios. Este es el yo que nunca ha fallado, nunca ha conocido la enfermedad o el dolor, nunca ha nacido y nunca ha muerto. Es la resurrección y la vida de cada hombre. "Nadie viene al Padre sino por el Hijo" significa que Dios, el Universal, obrando en el lugar del particular, se convierte en el Cristo en el hombre; y el Espíritu Santo, significa Dios–acción. Así, diariamente, el hombre está manifestando la Trinidad del Padre, del Hijo y del Espíritu Santo.

El hombre debe convertir el pensamiento en un arte. El maestro pensador es un artista y tiene cuidado de pintar sólo diseños divinos sobre el lienzo de su mente; pinta estos cuadros con trazos magistrales de poder y decisión teniendo absoluta fe en que no hay poder que estropee su perfección, y que manifestarán en su vida el ideal hecho realidad. Al hombre se le dá todo el poder a través del pensamiento correcto, para que así traiga su cielo a su tierra. Esta es la meta del juego de la vida.

Las reglas simples son la fe sin miedo, la no resistencia y el amor. Que cada lector se libere ahora de aquello que lo ha mantenido en esclavitud a través de las edades, interponiéndose entre él y lo suyo, y conozca la verdad que lo hace libre; libre para cumplir su destino, para traer a la manifestación el diseño divino de su vida, salud, riqueza, amor y perfecta autoexpresión. "Transformaos mediante la renovación de vuestra mente".

Negaciones y afirmaciones

Para prosperidad: Dios es mi suministro infalible; grandes sumas de dinero me llegan rápidamente, bajo la gracia, y de manera perfecta.

Para condiciones perfectas: Todo plan que mi Padre en el cielo no ha planeado, será disuelto y disipado, permtiendo que suceda la idea divina.

Para condiciones perfectas: Sólo lo que es verdad en Dios es verdad de mí, porque el Padre y yo somos UNO.

Para la fe: Como soy uno con Dios, soy uno con mi bien, porque Dios es tanto el dador como el don. No puedo separar al dador del don.

Para condiciones perfectas: El amor divino ahora disuelve y disipa toda condición incorrecta en mi mente, cuerpo y asuntos. El amor divino es la sustancia química más poderosa del universo, y disuelve todo lo que no es de sí mismo.

Para la salud: El amor divino inunda mi conciencia con salud, y cada célula de mi cuerpo se llena de luz.

Para la vista: Mis ojos son los ojos de Dios, veo con los ojos del espíritu. Veo claramente el camino abierto; no hay obstáculos en mi camino. Veo claramente el plan perfecto.

Para guía: Soy divinamente sensible a mis guías intuitivas, y doy obediencia instantánea a Tu voluntad.

Para los oídos: Mis oídos son los oídos de Dios, oigo con los oídos del espíritu. No me resisto y estoy dispuesto a ser guiado. Oigo las buenas noticias de gran alegría.

Para el trabajo correcto: Tengo un trabajo
perfecto en una forma perfecta; presto un
servicio perfecto por una paga perfecta.

Para libertad de toda esclavitud:
Arrojo esta carga sobre el Cristo interior, y me
libero.

Desbloquea el secreto para alcanzar tu máximo potencial con *El Secreto Más Extraño,* tu guía para alcanzar un éxito dirigido por un propósito y la autorrealización. Según Nightingale, el éxito es la realización continua de un objetivo valioso, una filosofía que ha guiado a los ejecutantes de élite en varios campos.

Entra en el elitista 5% de los máximos logradores en tu campo mientras aplicas las perspectivas y principios contenidos en estas páginas. El Secreto Más Extraño promete no solo prosperidad, sino una vida rica marcada por el propósito y el crecimiento sostenido. Permite que sea tu arma secreta en el camino hacia una vida próspera y satisfactoria.

DISPONIBLE EN AMAZON

Un pionero del movimiento de autoayuda, el autor James Allen es más conocido por su título más famoso, *Como piensa un hombre.* Este libro ofrece las claves para la responsabilidad personal y la libertad. Cuando comprendes que lo que piensas influye en lo que te conviertes, puedes aprender a ajustar tu vida de pensamiento en consecuencia.

En la obra clásica de Allen, él escribe una fascinante exploración de la conexión entre la mente, el cuerpo y la acción. Usando la metáfora de un jardín, Allen enseña al lector cómo eliminar la negatividad y plantar pensamientos útiles y positivos en la mente.

DISPONIBLE EN AMAZON

¡Descubre los antiguos secretos de la riqueza moderna con *El hombre más rico de Babilonia!*

¿Estás listo para dominar el arte de la prosperidad financiera? Sumérgete en la sabiduría atemporal encapsulada en el aclamado superventas, «El hombre más rico de Babilonia», universalmente reconocido como el pináculo de inspiración para la planificación financiera, el ahorro y la creación de riqueza personal.

Escrito por el notable George S. Clason, esta joya de libro transporta a los lectores a la antigua Babilonia, pintando retratos vívidos de pastores, comerciantes y artesanos, y a través de sus historias, revela los principios inmutables y firmes de la estabilidad y el crecimiento financiero.

Porque tu éxito importa

SOUNDWISDOM.COM/ESPAÑOL

Made in the USA
Las Vegas, NV
12 July 2024

92186282R00085